FERNANDO GALLEGO AND THE RETABLO OF CIUDAD RODRIGO

FERNANDO GALLEGO AND THE RETABLO OF CIUDAD RODRIGO
by R. M. Quinn

VERSION ESPAÑOLA de Renato Rosaldo

THE UNIVERSITY OF ARIZONA PRESS
Tucson · 1961

FOR JACKIE

TABLE OF CONTENTS

INDICE

ILLUSTRATIONS

ILUSTRACIONES

The retablo of the cathedral of Ciudad Rodrigo has, until now, not received the attention and acclaim it deserves. Having studied it carefully in comparison with the other great works of its principal author, Fernando Gallego, I must state that I believe it to be one of the great monuments of Spanish art and the principal achievement of its particular school. Its merit is such that, in consequence, it must be reckoned as one of the most important works of Spanish Gothic painting outside of Spain. The singular good fortune that such a work now resides in Arizona is due to the generosity of the Samuel H. Kress Foundation and the friendliness so often manifested by the Foundation to the state of Arizona and its university at Tucson. The coming of the retablo to Tucson is, in my view, the most important event of its kind in the history of Arizona. From this time forth, anyone doing a thorough study of the Hispano-Flemish style must come to the University of Arizona and consult these paintings.

The opportunity to do an original study in connection with works such as these is a rare one indeed, for despite their excellence, the Gallego panels have been relatively but little known, and great confusion has prevailed in regard to them. It has been my good fortune to be presented with the means to travel in Spain and examine all of the signed works of Fernando and all of his great retablos as well as some of his smaller paintings. This study is the result of my inspection and comparison of the paintings in Spain with the retablo in Tucson.

It is my very real pleasure to express my gratitude to the Samuel H. Kress Foundation and to its director, Mr. Guy Emerson, for the Foundation's assistance in providing travel funds to Spain and for its hospitality on my several visits to New

El retablo de la catedral de Ciudad Rodrigo no ha recibido hasta ahora la atención y fama que se merece. Habiéndolo estudiado con cuidado en comparación con las otras grandes obras de su principal autor, Fernando Gallego, debo declarar que me parece que es uno de los grandes monumentos del arte español y la obra principal de su escuela en particular. Su mérito es tal que, en consecuencia, debe considerarse como una de las obras más importantes de la pintura gótica española fuera de España. La singular buena fortuna de que tal obra resida ahora en Arizona se debe a la generosidad de la Fundación Samuel H. Kress y la buena voluntad que la Fundación ha manifestado con tanta frecuencia hacia el Estado de Arizona y su universidad. La venida del retablo a Tucson es, en mi opinión, el evento más importante de esta clase en la historia de Arizona. De aquí en adelante, cualquier crítico que pretenda hacer un estudio cuidadoso del estilo hispano-flamenco debe venir a la Universidad de Arizona y consultar estas pinturas.

La oportunidad de hacer un estudio original en relación con obras tales como ésta es muy rara, porque, a pesar de su excelencia, los paneles de Gallego han sido relativamente poco conocidos y ha prevalecido una gran confusión con respecto a ellos. He tenido la buena fortuna de que se me haya brindado la oportunidad de viajar en España y examinar todas las obras firmadas por Fernando y todos sus grandes retablos, así como también algunos de sus cuadros más pequeños. Este estudio es el resultado de mi inspección y comparación de las pinturas en España con el retablo en Tucson.

Es un verdadero placer expresar mi gratitud a la Fundación Samuel H. Kress y a su director, el Señor Guy Emerson, por la ayuda de la Funda-

York and Pennsylvania for the purpose of studying the paintings.

Dr. Richard A. Harvill, president of the University of Arizona, has expressed his deep personal interest in every phase of the acquisition of the retablo, and in this study. Through him, the administration has made available further travel funds and travel time. In addition, Dr. Harvill has made it possible for this study to be included as a major publication of the University of Arizona Press. The personal encouragement I have received from this has been immense.

To Dr. Alessandro Contini-Bonacossi, of the Samuel H. Kress Foundation, I am thankful on several accounts. He has been most generous with his knowledge of Spanish painting in general and the Gallegan school in particular. He has been generous but gentle in his criticism and advice, and finally, he provided me with the most useful information an art historian could wish for in regard to Spain and the conducting of investigations there.

Professor Mario Modestini, who did the restoration of our panels, has described to me that process and the technical aspects of the Gallego style in great detail. He has also pointed out in the paintings numerous details useful in arriving at attributions. For this, too, I am deeply grateful.

I met several gentlemen in Spain who gave me generously of their time and opinion despite the pressure of their business. Professor Juan Antonio Gaya Nuño received me several times in Madrid, and we talked at length about the problems of Fernando and the retablo. Sr. Juan Gudiol maintains an incredibly complete archive of the works of art in Spain at the Instituto Amatller, in Barcelona. The archives were laid at my disposal, and I was most graciously received by Sr. Santiago Alcolea, of the institute. I am not only delighted to express my thanks to these gentlemen, but also to acknowledge their wonderful hospitality, which has resulted in personal friendships which I value highly.

My warm thanks are due to Miss Mary Davis, of the Samuel H. Kress Foundation, for her good offices.

It is not out of line, I think, to mention the people of Spain, who treated me with great kindness wherever I went.

R. M. QUINN

Tucson, 1960.

ción al facilitarme fondos para mi viaje a España y por su hospitalidad en mis varias visitas a Nueva York y Pennsylvania con objeto de estudiar las pinturas.

El doctor Richard A. Harvill, Rector de la Universidad de Arizona, ha expresado su intenso interés personal en todas las fases de la adquisición del retablo, y en su estudio. Por medio de él, la administración ha facilitado fondos para el viaje y tiempo para hacer estos viajes. Además, él ha logrado que este estudio se incluya como una de las empresas importantes de las prensas de la Universidad de Arizona en su primer año de actividad. Él me ha alentado personalmente para continuar esta obra.

Estoy agradecido por muchos motivos al Dr. Alessandro Contini-Bonacossi de la Fundación Samuel H. Kress. Ha sido muy generoso en cuanto a su conocimiento de la pintura española en general y de la escuela de Gallegos en particular. Ha sido generoso y gentil en su crítica y en sus consejos, y, finalmente, me facilitó la información más útil que un historiador del arte pueda desear con respecto a España y a la manera de llevar a cabo investigaciones en dicho país.

El professor Mario Modestini que hizo la restauración de nuestros paneles, me ha descrito ese proceso y los aspectos técnicos del estilo de Gallego en gran detalle. También ha señalado numerosos detalles en las pinturas que son de gran utilidad al hacerse la atribución del autor. Por esto le estoy hondamente agradecido.

Conocí a varios señores en España que me facilitaron su tiempo generosamente y su opinión a pesar de sus ocupaciones. El profesor Juan Antonio Gaya Nuño me recibió varias veces en Madrid y hablamos mucho acerca de los problemas de Fernando y del retablo. Juan Gudiol mantiene un archivo increíblemente completo de las obras de arte en España en el Instituto Amatller de Barcelona. Los archivos estuvieron a mi disposición y fuí recibido de una manera muy cordial por el Señor Santiago Alcolea del Instituto. No sólo tengo un gran placer al expresar mi gratitud a estos señores sino que también quiero agradecer su generosa hospitalidad que ha resultado en amistades personales que son de gran valor para mí.

Mi agradecimiento también a la Srta. Mary Davis de la Fundación Samuel H. Kress por sus esfuerzos.

Creo que viene al caso mencionar al pueblo de España que me trató con gran bondad en todas ocasiones y lugares.

SPANISH HISTORY IN THE HISPANO-FLEMISH ERA

LA HISTORIA DE ESPAÑA EN LA EPOCA HISPANO-FLAMENCA

CHAPTER I

Aragon was the leading Spanish state in the early fifteenth century. Its pre-eminent position was secured by Ferdinand II, who won the allegiance of Majorca, Sicily and Sardinia; and by his successor, Alfonso the Magnanimous, who won over the Catalans and also won the throne of Naples. Upon the death of Alfonso, in 1458, the Neapolitan lands were taken by his son, Ferrante, while Aragon passed to his brother, John II of Navarre. John's son, Ferdinand, married Isabella of Castile in 1469.[1]

Castile entered the fifteenth century in a state of anarchy. John II of Castile (1406–1454) was a patron of literature but an indifferent king. In 1454, he was succeeded by Henry IV, "a miser-

Aragón era el estado español más importante a principios del Siglo XV. Su posición prominente se debió a Fernando II que se captó la lealtad de Mallorca, Sicilia y Cerdeña; y por su sucesor, Alfonso el Magnánimo, que conquistó a los catalanes y que también ganó el trono de Nápoles. A la muerte de Alfonso en 1458, las tierras napolitanas pasaron a manos de su hijo, Ferrante, en tanto que Aragón pasó a su hermano Juan II de Navarra. El hijo de Juan, Fernando, casó con Isabel de Castilla en 1469.[1]

Castilla entró al siglo XV en un estado de anarquía. Juan II de Castilla (1406–1454) era patrón de la literatura pero era un rey indiferente. En 1454 le sucedió Enrique IV, "una cifra mise-

able, abnormal cipher,"[2] who conducted a scandalous court. Upon Henry's death in 1474, civil war grew out of the conflicting pretensions to the crown of his bastard daughter Joanna and her sister Isabella. Portugal and France intervened in the struggle which was finally settled in favor of Isabella, already married to Ferdinand.

It was the destiny of Ferdinand and Isabella to complete the unification of Spain by the destruction of the Moorish kingdom of Granada in 1492. By their marriage and accessions to their thrones, Aragon and Castile had already been united. Ferdinand and Isabella also, as the zealous "Catholic Kings,"[3] led a great, but despotic and terroristic religious campaign against the Moslems and Jews in their lands.

Isabella died in 1504 and Ferdinand in 1516. Their realm passed into the hands of Charles V, grandson of the Catholic Kings (through their daughter, Joanna the Mad) and of the Habsburg Emperor Maximilian. In Charles's time, Spain entered modern history and her period of political greatness.

It was during the reigns of Henry IV and of Ferdinand and Isabella, however, that the profound and intense school of painting called Hispano-Flemish arose and flourished. The school was primarily a Castilian one that included among its finest painters Fernando Gallego, and among its greatest masterpieces the retablo[4] of the Cathedral of Ciudad Rodrigo, now in the Kress Collection at the University of Arizona.

rable y anormal"[2] que se condujo de una manera escandalosa en la corte. A la muerte de Enrique en 1474 estalló la guerra civil por el conflicto de pretendientes a la corona entre su hija bastarda Juana y su hermana Isabel. Portugal y Francia intervinieron en la lucha que por fin se decidió a favor de Isabel que ya estaba casada con Fernando.

Fué el destino de Fernando e Isabel de completar la unión de España por medio de la destrucción del reino moro de Granada en 1492. Con su casamiento y accesión a sus tronos, Aragón y Castilla ya habían sido unidos. También como los celosos Reyes Católicos[3] llevaron a cabo una gran campaña religiosa aunque despótica y terrorista contra los musulmanes y judíos en sus tierras.

Isabel murió en 1504 y Fernando en 1516. Su reino pasó a manos de Carlos V, nieto de los Reyes Católicos por su hija, Juana la Loca, y del emperador Habsburgo Maximiliano. En tiempos de Carlos, España entró a la historia moderna y a su período de grandeza política.

Fué durante los reinos de Enrique IV y de Fernando e Isabel, sin embargo, que la profunda e intensa escuela de pintura que se llama hispano-flamenca surgió y floreció. Esta escuela era principalmente castellana incluyendo entre sus mejores pintores a Fernando Gallego y entre sus grandes obras maestras al retablo[4] de la catedral de Ciudad Rodrigo, que ahora está en la Colección Kress de la Universidad de Arizona.

THE HISPANO-FLEMISH SCHOOL OF PAINTING

LA ESCUELA HISPANO-FLAMENCA DE PINTURA

The reign of Henry IV of Castile (1454–74) was highly unstable. Conditions were not of a nature to encourage courtly patronage of painters and the result was that most painting was ecclesiastical in tone.[1] Already, this painting was beginning to come under Flemish influence as was that done in Aragon during the contiguous reign of John II (1458–79).[2]

The Hispano-Flemish style matured and climaxed in the reign of Ferdinand and Isabella. Their daughter, Joanna the Mad, had been married for political reasons to Philip the Fair in 1496, and John, the Prince of Asturias, was married to Margaret of Austria in 1497. Philip and Margaret were of the Habsburg house. Philip's son, Charles, was to succeed Ferdinand to the throne of Spain, but he grew up in the Netherlands under the guardianship of Margaret. By these marriages, the predilection of Spanish patrons for Netherlandish art was strengthened politically.

Isabella was an enthusiastic patron of painters from Spain, Flanders, and Germany. She encouraged the importation and imitation of the Flemish works, and meddled in the business of the local guilds. She helped to centralize art under the influence of the court, and this tended to unify the style at the expense of the older schools, such as that of Catalonia.[3] Since Isabella was a religious zealot, moreover, the subject-matter continued to remain predominantly religious.

The collecting of Flemish paintings was stimulated by Isabella, and her reign saw the complete triumph of the Netherlandish school in Castile. She is reported to have possessed 490 pictures herself.[4] In the royal chapel at Granada there

El reino de Carlos IV de Castilla (1454–1474) fué bastante inestable. Las condiciones no eran tales para alentar el patronato de la corte hacia los pintores, y el resultado fué que la mayoría de las pinturas fueron de un tono eclesiástico.[1] Ya esta pintura venía a colocarse bajo la influencia flamenca como se había hecho en Aragón durante el reino contiguo de Juan II (1458–1479).[2]

El estilo hispano-flamenco maduró y llegó a su apogeo durante el reino de Fernando e Isabel. Su hija, Juana la Loca, se había casado, por razones políticas, con Felipe el Hermoso en 1496, y Juan, el Príncipe de Asturias, se casó con Margarita de Austria en 1497. Felipe y Margarita eran de la casa de los Habsburgo. El hijo de Felipe, Carlos, había de suceder a Fernando al trono de España pero se crió en los Países Bajos bajo la tutela de Margarita. Por medio de estos matrimonios, la predilección de los patrones españoles hacia el arte de los Países Bajos se hizo más fuerte, políticamente hablando.

Isabel fué una patrona entusiasta de los pintores de España, Flandes, y Alemania. Alentó la importación e imitación de las obras flamencas e intervino en los negocios de los gremios locales. Ayudó a centralizar el arte en la corte, lo cual tendió a unir el estilo a expensas de las escuelas más antiguas, tales como las de Cataluña.[3] Debido a su celo religioso, además, los asuntos artísticos continuaron siendo predominantemente religiosos.

La recolección de pinturas flamencas fué estimulada por Isabel, y su reino vió el triunfo completo de la escuela de los Países Bajos en Castilla. Se dice que ella misma poseía 490 cuadros.[4] En la capilla real de Granada hay treinta y ocho pinturas incluyendo obras maestras de Dirk Bouts,[5] Hans Memling,[6] y Roger van der Weyden.[7]

CHAPTER 2

are thirty-eight pictures including masterpieces by Dirk Bouts,[5] Hans Memling,[6] and Roger van der Weyden.[7] Another group of forty-seven small panels used to be in the castle at Toro. When the queen died, they were sold at auction, and thirty-two passed into the collection of Margaret of Austria, where they awakened the admiration of Albrecht Dürer.[8] After various vicissitudes, fifteen of these have come to the Palacio de Oriente in Madrid, the others having gone into foreign collections.[9] Chandler Rathfon Post reports Isabella's patronage of the northern painters, Melchior Alemán, Miguel Sithnim, and Juan de Flandes, all resident in Spain.[10] Lafuente numbers among the court painters the same northerners and the Spaniards, Fernando Rincon[11] and Francisco Chacón.[12]

Knowledge of the Flemish style of painting arrived in the peninsula considerably earlier than Isabella's day, although tangible evidence of immediate influence upon Spanish painters cannot be produced. In 1373, Peter IV of Aragon summoned to his court Jean de Bruges, the author of the cartoons for the famous *Apocalypse Tapestries* of Angers.[13] Jean, however, returned home without leaving any work in Spain. There is evidence that a certain San Martín may have taken charge of Jaquemart de Hesdin, who was the maker, around 1409, of several books of hours for the Duc de Berry[14] and who, it has been suggested, may have been in Spain about this same time. In 1414, Jean sans Peur, Count of Flanders, sent a portrait of himself by Jean Malouel,[15] a painter to the Burgundian court, to John I of Portugal.

But the first of the very great Flemish painters to visit Spain was Jan van Eyck himself, the first Netherlandish painter of world renown and possibly the greatest of them all.[16] His lord, Philip of Burgundy, having lost his wife, was seeking a new bride among the princesses of the western world. He first considered Isabel of Urgel, daughter of Count James the Unfortunate, of Urgel, who came to grief when he opposed Ferdinand I for the throne of Aragon. A Burgundian embassy, which may well have included Jan van Eyck, arrived at the Catalan capital in July, 1427, but produced no result and returned to Flanders. Philip then interested himself in Isabel of Portugal and sent a new embassy abroad. It arrived in Portugal in January, 1429, and van Eyck painted a portrait of the prospective duchess. He then journeyed to Santiago de Compostela[17] and

Existía otro grupo de cuarenta y siete paneles pequeños en el castillo de Toro. Cuando murió la reina se vendieron en subasta, y treinta y dos de ellos pasaron a la colección de Margarita de Austria donde despertaron la admiración de Alberto Durero.[8] Después de varias vicisitudes, quince de ellos fueron a dar al Palacio de Oriente en Madrid, habiendo pasado los otros a colecciones extranjeras.[9] Post nos informa del patronato de Isabel de los pintores norteños Melchor Alemán, Miguel Sithnim y Juan de Flandes, todos residentes de España.[10] Lafuente menciona entre los pintores de la corte a los mismos norteños y a los españoles Fernando Rincón[11] y Francisco Chacón.[12]

El conocimiento del estilo flamenco de pintura llegó a la península mucho antes de los tiempos de Isabel aunque no se puede señalar evidencia tangible de influencia inmediata sobre los pintores españoles. En 1373 Pedro IV de Aragón llamó a su corte a Jean de Bruges, el autor de los dibujos para los famosos *Gobelinos del Apocalipsis* de Angers[13] que, sin embargo, volvió a su patria sin dejar ninguna obra en España. Hay evidencia de que un tal San Martín pudo haberse encargado de Jaquemart de Hesdin, el artífice, alrededor de 1409, de varios libros de horas para el Duque de Berry[14] y que, según se sugiere, pudo haber estado en España al mismo tiempo. En 1414, Jean sans Peur, Conde de Flandes, mandó un retrato suyo por Jean Malouel,[15] pintor de la corte de Borgoña, a Juan I de Portugal.

Pero el primero de los grandes pintores flamencos que visitó a España fué el mismo Jan van Eyck, el primer pintor de los Países Bajos de fama mundial, y tal vez el más grande de todos ellos.[16] Su amo, Felipe de Borgoña, habiendo perdido a su esposa, buscaba a una nueva prometida entre las princesas del mundo occidental. Primero consideró a Isabel de Urgel, hija del conde Jaime el Infortunado que tuvo la desgracia de oponerse a Fernando V para el trono de Aragón. Una embajada de Borgoña, que muy bien pudo haber incluído a Jan van Eyck, llegó a la capital catalana en julio de 1427, pero no produjo resultados y volvió a Flandes. Felipe entonces se interesó por Isabel de Portugal y mandó una nueva embajada fuera de su patria. Llegó a Portugal en enero de 1429, y Van Eyck pintó un retrato de la futura duquesa. De allí pasó a Santiago de Compostela,[17] y después de esto acompañó a los embajadores a la corte de Juan II de Castilla, del Sultán de Granada y del Duque de Arjova. Este viaje produjo una impresión apreciable en el arte de Jan, tales

after that accompanied the ambassadors to the courts of John II of Castile, the Sultan of Granada, and the Duke of Arjova. This trip made an appreciable impression on Jan, and its effects are to be seen in his art in such details as the minaret-like towers, and the palms and cypresses which appear in some of his backgrounds. After returning to Portugal, the embassy, including van Eyck, accompanied the Princess Isabel to Flanders, where she married the duke in January, 1430.

Post denies any influence by van Eyck upon the Spanish painters,[18] but it is not improbable that Jan made a few paintings in Spain and that he met and conversed with a few Spanish painters. His visit at least marks the beginning of the penetration of Netherlandish art into the peninsula.[19] Further, de Contreras[20] reports the publication by Elias Tormo of a financial document from the general accounts of the bailiwick of Valencia from the time of Alfonso V of Aragon, which obviously must date from before 1458, the year of Alfonso's death. According to this statement the bailiff, Berenguer Mercader, states that he had confirmed 2,000 sueldos for the king to the merchant Juan Gregorio for a panel of St. George flanked by historical scenes, "painted and drawn by the hand of Master Johanes [van Eyck], the great painter of the illustrious Duke of Burgundy." The price was objected to, but Alfonso ordered that it be paid. Paul Jamot[22] states that "It is he [van Eyck] who established in Spain this close adherence to the Flemish school."

The number of Flemish paintings in Spain was quite large, and the representation was broad. Of the earlier Flemish painters, the following were represented in Spain in the latter half of the fifteenth century: the "Maître de Flémalle",[23] Roger van der Weyden,[24] Petrus Christus,[25] Dirk Bouts, Hans Memling and his associates, and the Master of the St. Lucy Legend.[26] Post also suggests that Justus of Ghent[27] and Hugo van der Goes[28] might well have been represented in Spain, since they were popular in Italy at the time. Of the late Flemish painters, many second-raters were represented in Spain, but there were also works by Gerard David and his school,[29] Quentin Massys,[30] and Hieronymus Bosch,[31] who had a fervent patronage.[32]

The presence of so many Flemish pictures in Spain can doubtless be explained in part by the activities of Spanish merchants. There were large Spanish mercantile houses in Bruges, whose

como torres al estilo de minaretes y las palmas y cipreses que aparecen en algunos de sus fondos artísticos. Después de volver a Portugal, la embajada, incluyendo a Van Eyck, acompañó a la princesa Isabel a Flandes donde casó con el duque en enero de 1430.

Post niega que haya influencia de Van Eyck sobre los pintores españoles,[18] pero es probable que Jan haya pintado algunos cuadros en España y haya conocido y conversado con algunos pintores españoles. Su visita por lo menos marca el principio de la penetración del arte de los Países Bajos a la península.[19] Además, Contreras[20] nos dice de la publicación por Elías Tormo de un documento financiero de las cuentas generales de Valencia en los tiempos de Alfonso V de Aragón, que obviamente deben de datar de antes de 1458, el año de la muerte de Alfonso. De acuerdo con esta declaración, el bailío, Berenguer Mercader, declara que había entregado dos mil sueldos en nombre del rey al mercader Juan Gregorio por el panel de San Jorge flanqueado por escenas históricas, "pintada e dibuxada de má de mestre Johanes [van Eyck], lo gran pintor del ilustre duch de Borgonya."[21] Se hicieron objeciones al precio, pero Alfonso ordenó que se pagara. Paul Jamot[22] dice que "C'est lui qui établit en Espagne cette étroite adhésion à l'école flamande."

El número de pinturas flamencas en España era bastante grande, y la representación de pintores era amplia. Entre los primeros pintores flamencos, los siguientes estuvieron representados en España en la última mitad del siglo XVI: el "Maître de Flémalle",[23] Roger van der Weyden,[24] Petrus Christus,[25] Dirk Bouts, Hans Memling y sus socios, y el Maestro de la Leyenda de Santa Lucía.[26] Post también sugiere que Justus de Ghent[27] y Hugo van der Goes[28] bien pudieron haber estado representados en España puesto que eran populares en Italia en aquellos tiempos. De los pintores flamencos que vinieron más tarde, muchos de segunda categoría estuvieron representados en España, pero también hubo obras de Gerard David y de su escuela,[29] Quentin Massys[30] y Hieronymus Bosch[31] que tuvo un patronato ferviente.[32]

La presencia de tantos cuadros flamencos en España sin duda se explica en parte por las actividades de los comerciantes españoles. Había grandes casas mercantiles españoles en Brujas cuyo negocio principal era la lana, pero también se sabe que hacían los arreglos para mandar a España muebles de lujo, gobelinos y cuadros para altares. Estos

chief business was wool, but it is also known that these houses arranged for the transportation to Spain of luxury furniture, tapestries, and altar-pictures. The Spanish merchants of these firms were the counterparts of the better-known Italian ones.[33]

At the same time, Post is careful to point out that the supremacy of Aragon over Southern Italy under Alfonso the Magnanimous opened up other routes for the importation of a Flemish style. Alfonso set up his court in Naples and spent his life there. He found there paintings by Flemish artists which no doubt influenced the Aragonese and Catalonians he brought with him. It is known that Alfonso owned works by Roger van der Weyden and Jan van Eyck. Present also in Naples was Antonello da Messina,[34] who was himself influenced by the Netherlanders, and who may have come into contact with certain of the Spaniards, such as Master Alfonso[35] and Bartolomé Bermejo,[36] whose work shows similarities to his.[37]

On the other hand, Post also notes, the painting of Western Spain (Castile) is more Flemish than that of the East (Aragon). The answer may lie in part in the role of Portugal, as outlined by Juan de Contreras.[38]

Just as there were two main branches in Netherlandish painting, so were there two in the Iberian peninsula. In Flanders, Jan van Eyck, followed by Petrus Christus, Dirk Bouts, Hieronymus Bosch and others, painted in a hard, realistic manner; whereas the "Maître de Flémalle," followed by Roger van der Weyden, Memling, and others, created a manner essentially suave, idealistic, and decorative. Hispano-Netherlandish painting is divisible into two large sections which had no relationship to the political division of the land. On the central plateau (essentially Castile) was the harder and more energetic style, while on the Atlantic and Mediterranean littorals the style, always blended with Italian influences, was a mixture of exquisite suavity and intense realism. Contreras continues:

CHAPTER 2

> Portugal is, in the fifteenth century and in the first years of the sixteenth, a province of Netherlandish art. This is the great moment of Portuguese painting, which attains an insuperable perfection in an impulse which, for political reasons (the rise of [Isabella's] court which stimulated the artists) did not develop on the Atlantic Coast but in Castile and Andalusia, which are to pick up the great Portuguese tradition.[39]

mercaderes españoles eran el equivalente de los mercaderes italianos mejor conocidos.[33]

Al mismo tiempo, Post tiene cuidado en señalar que la supremacía de Aragón sobre el sur de Italia bajo Alfonso el Magnánimo abrió otras rutas para la importación del estilo flamenco. Alfonso estableció su corte en Nápoles y pasó su vida allí. Allí encontró pinturas por artistas flamencos que sin duda tuvieron influencia sobre los aragoneses y catalanes que él trajo consigo. Se sabe que Alfonso poseía cuadros de Roger van der Weyden y Jan van Eyck. Presente también en Nápoles estaba Antonello da Messina,[34] que sufrió la influencia de los pintores de los Países Bajos y que pudo haber estado en contacto con varios españoles tales como Maestre Alfonse[35] y Bartolomé Bermejo[36] cuyas obras muestran semejanzas con las suyas.[37]

Por otra parte, observa Post también, la pintura de la parte occidental de España (Castilla) es más flamenca que la del oriente (Aragón). Esto tal vez se debe en parte al papel de Portugal, según lo señala Juan de Contreras.[38]

Así como existieron dos ramas principales de la pintura neerlandesa, así también hubieron dos en la Península Ibérica. En Flandes, Jan van Eyck seguido por Petrus Christus, Dirk Bouts, Hieronymus Bosch y otros, pintó de una manera dura y realista; en tanto que el "Maître de Flémalle," seguido por Roger van der Weyden, Memling y otros creó una manera esencialmente suave, idealista y decorativa. La pintura hispano-holandesa se divide en dos grandes secciones que no tenían relación alguna con la división política del país. En la planicie central (esencialmente Castilla) existía un estilo más fuerte y más enérgico, en tanto que en los litorales del Atlántico y el Mediterráneo el estilo, siempre mezclado con influencias italianas, fué una combinación de exquisita suavidad e intenso realismo. Contreras continúa:

> Portugal es, en el siglo XV y en los primeros años del XVI, una provincia de arte neerlandés. Es éste el gran momento de la pintura que, por razones políticas (la ausencia de una corte [de Isabel] que estimule a los artistas) no se desarrolló en el litoral del Atlántico, sino en Castilla y en Andalucía, que vienen a recoger la gran tradición portuguesa.[39]

El estilo hispano-flamenco de pintura, entonces, puede describirse como aquél en el cual el impacto de la escuela flamenca sobre el arte español fué lo suficientemente fuerte para hacerse claramente evidente. No fué lo suficientemente fuerte,

The Hispano-Flemish style of painting, then, may be described as one in which the impact of the Flemish school upon Spanish art was strong enough to make itself clearly evident. It was not strong enough, however, to completely subjugate native Spanish characteristics. Its creation may be laid to the close ties established between Spain and the Low Countries, to the large number of Flemish paintings present in Spain, and to the Spanish predilection toward a realism similar to the Flemish.

The amalgam seems to have been produced first by Luis Dalmau who, in the second quarter of the fifteenth century, impressed it upon the school of Barcelona.[40] Dalmau, recorded between 1428 and 1460, was painter to the King of Aragon and the city of Valencia.[41] In 1431 he was commissioned to go to Flanders where he is asserted to have studied with Jan van Eyck. In 1443 he painted the altar of the *Virgin of the Counsellors*, demonstrating an obvious knowledge of van Eyck's work.[42]

Castile was influenced somewhat later. The retablo of Buitrago, by Jorge Inglés, is the first picture in Castile, of certain authorship, in the Hispano-Flemish style.[43] Figures on the pedestal bear a resemblance to those in the Zamora altarpiece by Fernando Gallego.[44] While Dalmau's style is clearly Eyckian, Inglés shows the influence of the second great Flemish mainstream, that of the "Maître de Flémalle" and Roger van der Weyden.

The number of painters in the Hispano-Flemish school is very large, and the influences upon them were varied and complex. For instance, the clear intimation exists that Bartolomé Bermejo, active in Aragon, was influenced by Bosch. Legend insists that Bermejo visited Flanders. The Memling influence is evident upon Pedro Berruguete,[45] Gallego's contemporary and greatest rival, while the Bouts effect seems to have been strongest throughout northwest Castile and upon Fernando Gallego himself.[46]

The Hispano-Flemish style is no mere imitation of Flemish painting, but a true naturalization of the Flemish form into a native idiom. The Flemish is simply the major foreign contribution to a sturdy indigenous development. From Flanders came the oil medium[47] and certain elements of the style. Flemish painting satisfied the Spanish love of the sumptuous and tendency to realism,[48] and the Spanish painters adopted the Flemish manner of rendering faces, draperies, etcetera,

sin embargo, para subyugar completamente las características autóctonas españolas. Su creación puede atribuirse a los lazos estrechos establecidos entre España y los Países Bajos, al gran número de pinturas flamencas que había en España y a la predilección española hacia un realismo semejante al flamenco.

La amalgama parece haber sido producida primeramente por Luis Dalmau quien, en el segundo cuarto del siglo XV, lo implantó en la escuela de Barcelona.[40] Dalmau, que vivió entre 1428 y 1460, fué pintor del Rey de Aragón y de la ciudad de Valencia.[41] En 1431 fué comisionado para ir a Flandes donde se asegura que estudió con Jan van Eyck. En 1443 pintó el altar de la *Virgen de los Consejeros*, que muestra un conocimiento obvio de la obra de van Eyck.[42]

Castilla sufrió esta influencia poco más tarde. El retablo de Buitrago, por Jorge Inglés, es el primer cuadro en Castilla, de autor conocido, del estilo hispano-flamenco.[43] Las figuras del pedestal tienen una semejanza con las del altar de Zamora por Fernando Gallego.[44] En tanto que el estilo de Dalmau es claramente de van Eyck, Inglés muestra la influencia de una segunda gran corriente flamenca, la del "Maître de Flémalle" y de Roger van der Weyden.

El número de pintores en la escuela hispano-flamenca es muy grande, y la influencia sobre ellos fué variada y compleja. Por ejemplo, existe una clara intimación que Bartolomé Bermejo, activo en Aragón, fué influenciado por Bosch. La leyenda insiste en que Bermejo visitó a Flandes. La influencia de Memling es evidente en Pedro Berruguete,[45] contemporáno de Gallego y su más grande rival, en tanto que el efecto de Bouts parece haberse mostrado más fuerte en el noroeste de Castilla y sobre Fernando Gallego mismo.[46]

El estilo hispano-flamenco no es una mera imitación de la pintura flamenca sino una verdadera naturalización de la forma flamenca en una forma autóctona. La flamenca es sencillamente la contribución extranjera mayor hacia un fuerte desarrollo autóctono. De Flandes vino el medio del óleo[47] y ciertos elementos del estilo. La pintura flamenca llegó a satisfacer la tendencia española a lo suntuoso y la inclinación hacia el realismo,[48] y los pintores españoles adoptaron la manera flamenca de pintar rostros, cortinajes, etc., pero no sin modificación.[49] El modelo flamenco se sigue más estrechamente en los fondos arquitectónicos: los edificios muestran las estrechas fachadas de una ciudad populosa y los techos de gran

CHAPTER 2

but not without modification.[49] The Flemish model is much more closely followed in the architectural backgrounds: the buildings show the narrow façades of a crowded town and the steep-pitched roofs of a country accustomed to heavy snow.[50] The landscapes, too, are almost literally Flemish. The mountains are often similar to those of Flemish painting from van Eyck's time to Patinir's, [51] and the vegetation is that of a humid land; very different from Castile.[52]

On the other hand, the Netherlandish interest in space and perspective—an interest that was ultimately to develop into the scientific realism of Dutch painting—is not developed in Spanish art.[53] It is present, but is loosely and even playfully handled, and is far less important than the decorative elements or the expressions of a tough faith.[54] There is none of the Flemish miniature quality in the Hispano-Flemish style. The Spanish pictures are often larger, and are usually more broadly and more loosely painted. The effect is one of formal splendor, perhaps monumentality, but never of the encyclopaedic, even microscopic, detail of the Flemish.[55]

Although there is always a kind of realism of countenance that relates to the Flemish, the figures and faces in the Spanish pictures inevitably change, to some degree at least, toward the Iberian type.[56] There can be little doubt that the people in these pictures are Spanish. Similarly, the color changes. From the brilliant palette of Flanders, a reduction is made to a sparser range in which ochres, greens, and browns predominate. On the other hand, gold, usually absent from Flemish painting, is used more lavishly in Spain.[57]

There is, in addition to the preponderant influence of the Flemings, the clear indication of a lesser influence upon the Hispano-Flemish style by certain German painters. Probably the strongest German influence was exercised by Martin Schongauer, but the initial impression has been accredited to Andrés Marsal de Sax, supposedly of German origin, and author of the Altar of St. Thomas for the Cathedral of Valencia about 1400.[58]

Schongauer's influence was felt chiefly through the medium of prints, of which he was a great producer.[59] Although the circulation of these prints has been traced to a lesser extent in Spain than elsewhere,[60] it is asserted that they were well-known and popular.[61] Mayer[62] states that in several instances Spanish painters used Schongauer's prints as the bases for their compositions

pendiente de un país acostumbrado a fuertes nevadas.[50] Los paisajes, también, son casi literalmente flamencos. Con frecuencia las montañas son semejantes a las de la pintura flamenca de los tiempos de van Eyck a los de Patinir,[51] y la vegetación es la de una tierra húmeda; muy distinta de la de Castilla.[52] Por otra parte, el interés neerlandés por el espacio y la perspectiva que por fin había de llegar a ser el realismo científico de la pintura holandesa no se desarrolla en el arte español.[53] Está presente pero manejado de una manera flexible y aun juguetona, y es mucho menos importante que los elementos decorativos o las expresiones de una gran fé.[54] No hay nada de la cualidad de la miniatura flamenca en el estilo hispano-flamenco. Los cuadros españoles a menudo son mas grandes y, por lo general, pintados de una manera más amplia y más flexible. El efecto es de esplendor formal, aun de monumentalidad, pero nunca de detalle enciclopédico y aun microscópico de los flamencos.[55]

Aunque siempre hay una especie de realismo de rostros que se relaciona con el flamenco, las figuras y los rostros de las pinturas españolas inevitablemente cambian, por lo menos hasta cierto punto, hacia el tipo ibérico.[56] No cabe duda de que los personajes de estos cuadros son españoles. De una manera semejante cambia el color. De la paleta brillante de Flandes se hace una reducción a una amplitud más restringida en la cual predomina el ocre, el verde y el café. Por otra parte, el oro, ausente por lo general de la pintura flamenca, se usa más extensamente en España.[57]

Hay, además de la influencia preponderante de los flamencos, la clara indicación de una influencia menor de ciertos pintores alemanes en el estilo hispano-flamenco. Tal vez la influencia alemana más grande fué la de Martín Schongauer, pero se atribuye la impresión inicial a Andrés Marsal de Sax, que se supone de origen alemán y autor del Altar de Santo Tomás para la Catedral de Valencia cerca de 1400.[58]

La influencia de Schongauer fué principalmente por medio de grabados, de los cuales fué gran productor.[59] Aunque la circulación de estos grabados puede encontrarse en menor extensión en España que en otras partes,[60] se asegura que eran bien conocidos y populares.[61] Mayer[62] dice que en varios casos los pintores españoles usaron los grabados de Schongauer como base para sus composiciones en cuadros grandes. Kehrer[63] menciona un ejemplo de derivación directa. Después de Schongauer, la impresión alemana mayor fué

in large pictures. Kehrer[63] reports one example of a direct derivation. After Schongauer, the major German influence was that of Conrad Witz, whose impression was felt in Gallego's circle.[64]

la de Conrad Witz, cuya influencia se sintió especialmente en el círculo de Gallego.[64]

FERNANDO GALLEGO

FERNANDO GALLEGO

CHAPTER 3

Certainly Fernando Gallego was one of the two greatest and most influential masters of the Hispano-Flemish style. The other, Pedro Berruguete, was already influenced by Italy. Most unfortunately, very little is known of Fernando's life. The first-known reference to Gallego occurs in the earliest Spanish effort at a full history of art. This is the great opus written by Palomino and first published in 1714.[1] According to Palomino, "Fernando Gallego, native and resident of the city of Salamanca, was a famous painter . . ." So far he is correct, but then he states that Gallego was "of the school of the great Albert Dürer." Hereafter, he attempts to demonstrate how Gallego could have learned the Düreresque style, and states that Fernando's pictures "could be taken for originals by Albert Dürer." Later, he even says of one painting that it has "such extraordinary beauty and delicacy, quite without equal, that I believe it exceeds Albert Dürer's works!" He mentions

Seguramente Fernando Gallego fué uno de los dos maestros más grandes y de mayor influencia del estilo hispano-flamenco. El otro, Pedro Berruguete, ya había sufrido la influencia de Italia. Desgraciadamente, se sabe muy poco de la vida de Fernando. La referencia más antigua a Gallego ocurre en el primer intento español por escribir una historia completa del arte. Ésta es la gran obra escrita por Palomino y publicada por primera vez en 1714.[1] De acuerdo con Palomino, "Fernando Gallego, natural y vecino de la ciudad de Salamanca, fué pintor insigne . . ." Hasta aquí estamos de acuerdo, pero después dice que Gallego fué "de la escuela de el grande Alberto Durero." De aquí en adelante trata de demostrar cómo Gallego pudo haber aprendido el estilo de Durero y dice que los cuadros de Fernando "se pudieron tener por originales de Alberto Durero." Más tarde, aun dice de una pintura que tiene "tan extremado primor y delicadeza, que si no iguala, creo que

specific paintings in and around Salamanca, some of which survive while others are now lost, and he gives us the signature *Fernandus Gallecus*. He complains of the neglect that certain pictures have suffered and finally states that Gallego "died in Salamanca at a great age in the year 1550."

Palomino's account is a peculiar mixture of helpful fact and glorious misinformation. We know now that Fernando was born around 1440 or 1445, so that the death date of 1550 is unlikely, to say the least. Further, since he was at least twenty-five years older than Albrecht Dürer, he could never have been his disciple. In fact, Gallego's pictures do not resemble Dürer's at all. However, Palomino's high praise of Gallego is certainly deserved and is evidence of the peculiar fact that Fernando was the only fifteenth century Spanish painter who remained famous through the Baroque age.[2] The list of paintings is of some help.

The misinformation given by Palomino, especially in regard to Dürer, was perpetuated for some time by many writers, including Orlandi in 1753,[3] Ponz in 1783,[4] and Ceán Bermudez in 1800,[5] (who also suggested that Gallego might have been apprenticed to Pedro Berruguete when the opposite relationship would have been the more likely),[6] and in English, James R. Hobbes in 1849.[7] Probably the earliest German reference is that of Passavant in 1853,[8] who first noted the Eyckian qualities and made Gallego a student of Petrus Christus.

Our knowledge of Gallego's life is still slight, but it is more extensive than it was. He signed his works *Fernando* or *Fernandus Galecus* or *Gallecus*. The last name is here rendered in its Latin form (Gallaecus), and the inference is that he is of a family from Galicia. The "s" in the signature should not be transposed into other languages: the correct Spanish form therefore is *Fernando Gallego*.[9]

Although Gallego might himself have come from Galicia, the supposition, since Palomino's time, is that he was born in Salamanca.[10] In the final third of the fifteenth century, Salamanca was the most important center of Hispano-Flemish art production,[11] and Fernando Gallego was the most important painter in the whole of northwest Castile.[12] The year of his birth has been reckoned from the assumption that his Zamora altarpiece was painted in 1466. Since this is obviously a youthful work, Gallego's birthdate is calculated to be between 1440 and 1445.[13]

excede a las de Alberto Durero!" Menciona ciertas pinturas en Salamanca y cerca de ella, algunas de las cuales sobreviven en tanto que otras se han perdido hoy en día, y nos da la firma *Fernandus Gallecus*. Se queja del descuido que han sufrido ciertos cuadros y finalmente dice que Gallego "murió en Salamanca de edad avanzada en el año 1550."

Los datos de Palomino son una mezcla peculiar de hechos valiosos y de malos informes. Sabemos que Fernando nació cerca de 1440 ó 1445, por lo tanto, la fecha de su muerte de 1550 no es probable. Además, puesto que era por lo menos veinticinco años mayor que Alberto Durero, nunca pudo haber sido su discípulo. De hecho, los cuadros de Gallego no se parecen a los de Durero en nada. Sin embargo, las alabanzas de Palomino de Gallego son ciertamente merecidas y son evidencias del hecho peculiar de que Fernando fué el único pintor español del siglo XV que continuó siendo famoso durante la edad del barroco.[2] La lista de pinturas es de algún valor.

Los datos equivocados que da Palomino, especialmente con respecto a Durero, fueron perpetuados por algún tiempo por muchos escritores, incluyendo a Orlandi en 1753,[3] Pons en 1783,[4] Ceán Bermúdez en 1800,[5] quien también sugirió que Gallego pudo haber sido aprendiz de Pedro Berruguete cuando es más probable que la relación opuesta haya ocurrido,[6] y en inglés por James R. Hobbes en 1849.[7] Probablemente la referencia alemana más antigua es la de Passavant en 1853,[8] donde se notan por primera vez las cualidades de van Eyck y Gallego se convierte en estudiante de Petrus Christus.

Nuestro conocimiento de la vida de Gallego es todavía escaso, pero es más extenso de lo que era. Firmó sus obras *Fernando* o *Fernandus Galecus* o *Gallecus*. El apellido aquí está en su forma latina (Gallaecus), y la inferencia es de que es de una familia de Galicia. La "s" de la firma no debe trasponerse en otros idiomas: la forma correcta española por lo tanto es *Fernando Gallego*.[9]

Aunque Gallego mismo pudo haber sido originario de Galicia, la suposición, desde los tiempos de Palomino, es de que nació en Salamanca.[10] En el último tercio del siglo XV, Salamanca era el centro más importante de la producción de arte hispano-flamenco,[11] y Fernando Gallego era el pintor más importante de todo el noroeste de Castilla.[12] El año de su nacimiento ha sido calculado asumiendo que su altar de Zamora fué pintado en 1466. Puesto que ésta es obviamente una obra

CHAPTER 3

The retablo in the Cathedral of Zamora is the first surviving work of Fernando's that is documented and consequently useful in reconstructing the painter's biography. It is dedicated to San Ildefonso and stands in the saint's chapel. The retablo and chapel were donated by Juan de Mella. Mella was a citizen of Zamora who had studied in Salamanca, received his doctorate, and had taught there as a *celeberrimo letrado*. In Rome, Mella achieved a reputation for his defense of the Archbishop Diego de Anaya of Seville. He received the bishopric of Zamora. Later, still in Rome, he served Eugene III and defended him against the Collonas. He was made cardinal with the title of Santa Prisca by Pope Calixtus III on December 17, 1456 and became Archbishop of Sigirenga in 1458. He died in Rome on October 13, 1467. The retablo, it is assumed, must have been made about this time. The date may, in all likelihood, be narrowed down further, however. In 1466, Pope Paul III approved the founding of the chapel that these paintings adorn, so the actual time of production ought to be from 1466 to about 1470.[14] The retablo is, typically, a confection of many panels. The central portion shows two registers. Above are the Baptism, Crucifixion, and the Execution of John the Baptist; below are Santa Leocadia appearing to San Ildefonso and Recesvinto,[15] The Miraculous Investiture of the Chasuble upon San Ildefonso, and the Adoration of the Relics of San Ildefonso. The predella presents St. Gregory, St. Peter, the Veil of Veronica, and St. Jerome. The side pieces show, in grisaille, the arms of Mella, Adam and Eve, and Ecclesia and Synagoga. The panel of the Investiture is signed: FERИTAD⁰ ̤ GALECVS.[16] A portrait of the donor, Cardinal Mella, appears in this same panel.[17]

This work has been called the most Flemish of all Gallego's efforts,[18] but contains Germanic notes, and underneath, shows a fervent hispanicism.[19] There is the Flemish interest in jewels in great profusion and rendered with illusory realism. Flemish, too, is the oil technique and parsimonious use of gold, which is confined to the background of the predella. In the Crucifixion and Baptism are realistic landscapes with figures who often act out episodes secondary to the subject. Church interiors are carefully rendered and, in the Santa Leocadia panel, there is the faithful reproduction of the peculiar structure of a Castilian end-Gothic cathedral.[20] Northern influence is to be seen in the genre figures; cripples and

juvenil, el nacimiento de Gallego se calcula entre 1440 y 1445.[18]

El retablo de la Catedral de Zamora es la primera obra que sobrevive de Fernando que está documentada y consecuentemente útil en la reconstrucción de la biografía del pintor. Está dedicada a San Ildefonso y se encuentra en la capilla del santo. El retablo y la capilla fueron donados por Juan de Mella. Mella fué originario de Zamora donde había estudiado en Salamanca, recibido su doctorado, y había sido profesor allí como *celebérrimo letrado*. En Roma, Mella adquirió fama por su defensa del Arzobispo Diego de Anaya de Sevilla. Fué hecho obispo de Collonas. Fué hecho cardenal con el título de Santa Prisca por el Papa Calisto III el 17 de diciembre de 1456 y se le nombró arzobispo de Sigirenga en 1458. Murió en Roma el 13 de octubre de 1467. El retablo, se asume, debe haber sido pintado por este tiempo. Con toda probabilidad se puede fijar aún más, sin embargo. En 1466, el Papa Pablo III aprobó la fundación de la capilla adornada por estas pinturas, de tal manera que el tiempo de su producción debe haber sido entre 1466 a 1470.[14] El retablo es, típicamente, una confección de muchos paneles. La porción central muestra dos registros. Arriba está el Bautismo, la Crucifixión, y la Ejecución de San Juan Bautista; abajo está Santa Leocadia apareciéndose a San Ildefonso y Recesvinto,[15] la Investidura Milagrosa de la Casulla a San Ildefonso y la Adoración de las Reliquias de San Ildefonso. La predela presenta a San Gregorio, San Pedro, el Velo de la Verónica y San Jerónimo. Las pinturas de los lados muestran, en grisalla, las armas de Mella, Adán y Eva y Ecclesia y Synagoga. El panel de la Investidura está firmado: FERИTAD⁰ ̤ GALECVS.[16] Aparece un retrato del donador, Cardenal Mella, en este mismo panel.[17]

Esta obra ha sido llamada la más flamenca de todos los cuadros de Gallego,[18] pero contiene notas germánicas y, por debajo de todo esto, muestra un hispanicismo ferviente.[19] Hay un interés flamenco por las joyas en gran profusión y descritas con un realismo ilusorio. Flamenca, también, es la técnica del óleo y el uso parsimonioso del oro, que se limita al fondo de la predela. En la Crucifixión y el Bautismo hay paisajes realistas con figuras que con frecuencia actúan episodios de poca relación con el asunto principal. Los interiores de las iglesias están descritos con cuidado, y, en el panel de Santa Leocadia, hay una reproducción fiel de la estructura peculiar de una catedral castellana y gótica.[20] Puede verse la influen-

beggars populate some scenes.[21] The work is not one of maturity, and certain youthful inabilities are perceptible. There is a hardness of pose, and the drapery folds are often awkward: they break stiffly and some are almost tubular. The women often have vulgar, ruddy faces, and large noses are common.[22] Nonetheless, the work has freedom and vitality.

The primary influence, of course, is that of Dirk Bouts.[23] This may be seen in the attenuated figures with skinny legs and big feet, the contemporary costumes on certain figures, and particularly the odd cap so characteristic of Bouts.[24] A secondary influence of Roger van der Weyden has been noted.[25] Lafuente reiterates Post's observations of Witz's influence upon Gallego, finding the drapery quality and the generally triangular pose of some figures, resting on a broad base of drapery, to be decidedly like that master's work.[26] Nonetheless, it is also asserted that a definitely Spanish quality rings through the figures and that certain faces even have a distinctly regional character.[27]

On the other hand, a number of authorities detect the influence of Martin Schongauer's engravings in the work. Iñiquez states explicitly that the figures who accompany St. John in the central panel, and the landscape in that panel, are from engraving number seventeen in Bartsch's list of Schongauer's works.[28] In this case, says de Contreras, the work would have to date after 1476, when he supposes Schongauer began his career as a printer.[29] Post, going further, dates the work around 1480, leaving time for the prints to travel from Germany.[30] Schongauer's dates are c. 1445–91, but Gaya Nuño's suggestion that the work was not completed until about 1470 would, I believe, overcome this difficulty.[31] I am convinced, from the appearance of the retablo in comparison with Fernando's other paintings, that this is an early work.

At any rate, Fernando is known to have been elsewhere in 1468. "Ferrant Gallego" was reported to be working with one Juan Felipe in the Cathedral of Plasencia.[32] Quite evidently, he had finished his training.

The fullest documentary concerning Gallego relates to his activities in 1473. On February 23, in the Cathedral of Coria (near Plasencia)

> agreement was made with Fernand gallego painter come from Salamanca . . . about a certain work which he had to make for the said church in the following form: that the

cia del norte en las figuras de individuos: lisiados y mendigos pululan por unas escenas.[21] La obra no es de madurez, y se perciben ciertas fallas juveniles. Hay una inflexibilidad de pose, y los dobleces de los cortinajes a menudo son torpes: se doblan de una manera rígida y algunos son casi tubulares. Las mujeres con frecuencia tienen rostros vulgares y rubicundos y son comunes las narices largas.[22] Sin embargo, la obra tiene libertad y vitalidad.

La influencia primaria, por supuesto, es la de Dirk Bouts.[23] Esto puede verse en las figuras atenuadas con piernas delgadas y pies grandes, las ropas contemporáneas de ciertas figuras y, en particular, la gorra extraña tan característica de Bouts.[24] Se ha notado una influencia secundaria de Roger van der Weyden.[25] Lafuente reitera las observaciones de Post sobre la influencia de Witz sobre Gallego, encontrando que la calidad de los cortinajes y la pose triangular general de algunas figuras, descansando sobre una base amplia de cortinajes, es decididamente como la obra del maestro.[26] Sin embargo, también se asevera que tiene una cualidad decididamente española en las figuras y que ciertos rostros aun tienen características distintamente regionales.[27]

Por otra parte, algunos críticos notan la influencia de los grabados de Martín Schongauer en esta obra. Iñíquez declara explícitamente que las figuras que acompañan a San Juan en el panel central, y el paisaje de este panel, son del grabado No. 17 de la lista de Bartsch de las obras de Schongauer.[28] En este caso, dice de Contreras, la obra debe datar de después de 1476 cuando supone que Schongauer empezó su carrera como grabador.[29] Post, yendo más allá, data la obra cerca de 1480, dejando tiempo suficiente para que los grabados vengan de Alemania.[30] Schongauer vivió de cerca de 1445 a 1491. Para que sus grabados llegaran a España a la edad de veinte años más o menos, en 1466, es una distinción bastante fina, pero la sugestión de Gaya Nuño de que la obra no se completó sino hasta 1470, podría suplir esta dificultad. Yo estoy muy convencido, por la apariencia del retablo en comparación con otras pinturas de Fernando, que es ésta una obra primeriza.

De todos modos, Fernando se sabe que estuvo en otra parte en 1468. "Ferrant Gallego" se dice que trabajó con un Juan Felipe en la Catedral de Plasencia.[32] Evidentemente, había terminado su aprendizaje.

El documento más completo con respecto a Gallego se relaciona con sus actividades de 1473.

said Fernand gallego do six retablos . . . and that if among the said lords don yñigo [manrique], dean, and the sd. Fernand gallego uncover any discrepancy about the price of them which is to be that determined for it by fray pedro[33] or gra. del barco,[34] painters . . . or another painter who is famous. And the retablos have to be first of the chapel of st. michael, and another for the altar of st. ann and another of st. alphonse, and another of st. mary of consolations, and another of st. peter martyr for the chapter and another for st. louis of the cloister.

It was agreed that he would be paid 60,000 *maravedis* and that one year's time would be allotted in which to complete the work. Nothing remains of these pictures.[35]

Between 1479 and 1493, Fernando is recorded as having painted a ceiling in the Old Library of the University of Salamanca.[36] The last documentary mention dates from 1507. On July 27—

there was present therefore Pedro de Tolosa, painter, who said that inasmuch as he and Hernan Gallego have made and completed the work of the tribune in the studio . . . they were owed 14,000 maravedis.[37]

The tribune referred to was in the chapel of the University of Salamanca. It was subsequently completely effaced and replaced.[38]

The assumption is generally made that Fernando died shortly after this reference to him.

Since Fernando Gallego's painting was practically the archetype of the Hispano-Flemish style, most of what has been said describing that style is applicable here. The whole matter of stylistic analysis and derivation is a complicated one, however.

Knowing who taught Gallego would help to simplify matters, but conjectures along this line are as fruitless as anything else, and simply reflect the varied opinions as to his style. According to the oldest Spanish accounts, as has been shown, Gallego is called a pupil of Albrecht Dürer, simply because of Fernando's obviously northern qualities. Ceán Bermudez nominates Pedro Berruguete as instructor, but this is highly improbable. Passavant[39] first notes the Eyckian quality in Gallego's work and advances Petrus Christus as teacher. Judging from the style of the Zamora Altarpiece, Dirk Bouts seems to have been the prime influence, although many Netherlandish and Germanic qualities are to be seen.

The influences seen playing upon Fernando are numerous. They are Flemish for the most

En febrero 23, en la Catedral de Coria (cerca de Plasencia)

se concordaron con Fernand gallego pintor vecino de Salamanca . . . sobre cierta obra que ha de fazer para la dicha iglesia en la forma siguiente: quel dicho Fernando gallego faga seys retablos . . . y que sy entre los dichos señores don yñigo [manrique] dean e el dho. Fernand gallego oviese alguna descrepación sobre los dichos retablos e sobre el precio dellos que estarán a lo que sobre ello determinasen fray pedro[33] o gra. del barco[34] pintores . . . o otro pintor que sea famoso. E los retablos han de ser el uno de la capilla de san miguel, e otro para el altar de santana e otro de san pedro mertyr para el cabildo e otro para san luys de la claustra.

Se acordó que se le pagarían 60.000 maravedíes que se le daría un año de plazo en el cual completaría la obra. Nada queda de estos cuadros.[35] Entre 1479 y 1493, Fernando se dice que pintó un techo de la Antigua Biblioteca de la Universidad de Salamanca.[36] El último documento data de 1507. En julio 27

pareció ende presente Pedro de Tolosa pintor e dixo que por quanto él e Hernan Gallego tienen fecha e acabada la obra de la tribuna en el Estudio . . . se les deven catorce mil maravedis.[37]

La tribuna mencionada estaba en la capilla de la Universidad de Salamanca. Fué subsecuentemente destruída y reemplazada.[38]

Se asume generalmente que Fernando murió poco después de esto.

Puesto que Fernando Gallego era practicamente el arquetipo del estilo hispano-flamenco, la mayor parte de lo que se ha dicho describiendo este estilo se aplica a él también. Toda la cuestión de análisis estilístico y derivación, sin embargo, es una cuestión complicada.

Sería conveniente para simplificar estos problemas conocer al maestro de Gallego, pero las conjeturas a este respecto no han dado fruto como todo lo demás, y simplemente reflejan las opiniones variadas en cuanto a su estilo. De acuerdo con los datos españoles más antiguos, como ya se ha mostrado, Gallego ha sido llamado discípulo de Alberto Durero, simplemente por las cualidades obviamente del norte de Fernando. Ceán Bermúdez nombra a Pedro Berruguete como maestro, pero esto es muy poco probable. Passavant[39] primero nota la calidad de van Eyck en la obra de Gallego y menciona a Petrus Christus como maestro. Juzgando por el estilo del Altar de

part. Pierre Paris, quoting Bertaux,[40] sees Flemish effects in the brocaded drapes and in the numerous gems and pearls in the ecclesiastical clothing, all exactly and sumptuously rendered. Dirk Bouts is most often mentioned as the strongest influence,[41] mainly in the thin proportions of the figures, but not in color. Several feel that Gallego must have seen Bouts's work in Flanders, as the Boutsian quality is mature in Fernando's work before works of Bouts's maturity were present in Spain.[42] Roger van der Weyden's influence is also perceived[43] as is that of his predecessor, the "Maître de Flémalle."[44]

Not only Netherlandish influence is to be seen, however. Many writers have commented upon the Germanic quality in Fernando's style, beginning with Palomino. Beruete[45] refers to the influence of Flanders and Cologne, but others come closer to the correct Germanic feeling in identifying the role played by the engravings of Schongauer,[46] which extended even to direct copying. Post describes an important development away from the Boutsian type of figure toward one more short and "classic." He also sees the landscape becoming more rocky and bleak, with picturesque Gothic towns and genre touches.[47] This he lays to an early and growing influence of Conrad Witz. The durable structure of the figure is unmistakably like the work of Witz and his Swabian and Swiss followers. Gómez-Moreno and Sánchez Cantón lay the entire Flemish-German development to a reaction against Italianism.[48]

The confusion is explained, quite credibly, by Bertaux:[49]

> If the Flemish connection of Gallego remains so complicated and so obscure it is because the painter has emulated all of his models very freely . . . whomsoever they might be . . . Gallego is, among the Hispano-Flemish, the first who, after a complete assimilation of a foreign art . . . had come to be a Spaniard.

Gallego does not lose his native Castilian sense of artistry;[50] he is no servile imitator.[51] Post attempts to define the manner in which Gallego differs from his Flemish models and remains himself.[52] He notes a change in color from the brighter oranges, yellows, blues, and whites of the Flemings to a more somber palette of green, gray, and a soft blue. Fernando retains an archaic, flat, gold halo not found in Flemish art, but he often replaces gold by yellow as the northerners

Zamora, Dirk Bouts parece haber sido la influencia principal, aunque se ven muchas cualidades neerlandesas y germánicas.

Las influencias que se notan en Fernando son numerosas. Por la mayor parte, son flamencas. Pierre Paris, siguiendo a Bertaux,[40] las ve en las cortinas de brocado y en las numerosas joyas y perlas en el ropaje eclesiástico, todas pintadas exacta y suntuosamente. Dirk Bouts se menciona con más frecuencia como la influencia más fuerte,[41] principalmente en las delgadas proporciones de las figuras pero no en el colorido. Muchos creen que Gallego debe haber visto la obra de Bouts en Flandes, puesto que la calidad de Bouts es madura en la obra de Fernando antes de que las obras de madurez de Bouts se presentaran en España.[42] La influencia de Roger van der Weyden también se percibe[43] así como la de su predecesor, el "Maître de Flémalle."[44]

Sin embargo, no sólo se notan influencias neerlandesas. Muchos escritores han comentado acerca de la cualidad germánica del estilo de Fernando, empezando por Palomino. Beruete[45] se refiere a la influencia de Flandes y Colonia, pero otros se acercan más al sentimiento germánico correcto al identificar el papel que juegan los grabados de Schongauer,[46] que se extienden hasta ser una copia directa. Post describe un desarrollo importante que se aleja del tipo de figura de Bouts hacia uno más corto y "clásico." También ve que el paisaje se hace mas rocoso y desolado, con pueblos góticos pintorescos en ellos y toques de la vida diaria.[47] Esto lo atribuye a una influencia temprana y creciente de Conrad Witz. La estructura duradera de la figura se parece mucho a la obra de Witz y a las de sus imitadores de Suabia y Suiza. Gómez-Moreno y Sánchez Cantón atribuyen todo el desarrollo flamenco-germánico a una reacción contra el italianismo.[48]

La confusión la explica Bertaux de una manera convincente:[49]

> Si la filiación flamenca de Gallego queda tan complicada y tan oscura es porque el pintor ha imitado muy libremente sus modelos cualesquiera que ellos fuesen . . . Gallego es entre los hispanos-flamencos el primero que después de una asimilación muy completa del arte extranjero . . . ha llegado a ser "español."

No pierde su sentido castellano autóctono del arte;[50] no es un imitador servil.[51] Post trata de definir la manera en que Gallego difiere de sus modelos flamencos y sigue siendo individualista.[52] Nota un cambio en el color del anaranjado bri-

do. The figures display an unmistakable Iberian cast, and the Spanish apathy toward scientific accuracy is reflected by a more provincial style of drawing. In other respects, I find Post hard to follow. He remarks upon an increased naturalism in the cruelty and brutality with which certain scenes, such as martyrdoms, are depicted, but I find this common enough in German art of the so-called "hard style." He notes the low-class and deformed figures in Gallego's work which, however, I have seen in Dutch painting of an early time. Despite these remarks, he perceives a beauty and charm in Fernando's figures, which he calls expressive as compared with the stolidity of the Flemish. Yet the whole development of Flemish figures from the "Maître de Flémalle" through Memling is toward a suavity, limberness, and charm next to which Gallego seems stiff and harsh. He speaks of the angularities being brushed out, but angularity is one of the precise resemblances between Gallego and Witz.

Partial answers to the origin of Fernando's style are offered by Gaya Nuño.[53] The clear influence seems unaccountable except by Fernando's having made an extrapeninsular journey, in which case he might have visited Flanders as well as Germany. He might have used paintings and engravings from the north for his models, or he might have been apprenticed to a Flemish painter in Salamanca. Any or all of these suggestions are plausible. Finally, however, it may safely be said that Gallego had no single model but truly naturalized the foreign arts upon which he drew, and in so doing reasserted his Spanishness. It is in exactly this that his true and great excellence is to be found.

llante, amarillo, azul y blanco de los flamencos a una paleta más sombría de verde, gris y un azul suave. Fernando retiene un nimbo arcaico, plano y dorado que no se encuentra en el arte flamenco, pero con frecuencia substituye al dorado por el amarillo como lo hacen los pintores del norte. Las figuras muestran un tinte ibérico que es inconfundible, y el poco interés español por la exactitud científica se refleja en una manera más provincial de dibujar. En otros respectos, no estoy de acuerdo con Post. Observa un naturalismo creciente en la crueldad y brutalidad con las cuales se describen ciertas escenas como los martirios, pero yo encuentro que esto es común en el arte alemán de lo que se llama el "estilo sólido." Nota las clases bajas y las figuras deformes en la obra de Gallego que, sin embargo, he visto en la pintura holandesa de los tiempos antiguos. A pesar de estas observaciones, percibe una belleza y un encanto en las figuras de Fernando que llama expresivos en comparación con la estolidez de los flamencos. Sin embargo todo el desarrollo de las figuras flamencas del "Maître de Flémalle" a Memling es hacia una suavidad, flexibilidad y encanto junto a los cuales Gallego parece inflexible y duro. Habla de que se eliminan las angularidades, pero la angularidad es una de las semejanzas precisas entre Gallego y Witz.

Se ofrecen respuestas parciales al origen del estilo de Fernando con Gaya Nuño.[53] La influencia clara no puede explicarse excepto que Fernando hizo un viaje fuera de la península, en cuyo caso bien pudo haber visitado a Flandes así como a Alemania. Pudo haber usado pinturas y grabados del norte como modelos, o pudo haber sido aprendiz de un pintor flamenco en Salamanca. Cualesquiera de estas sugestiones o todas ellas son plausibles. Finalmente, sin embargo, puede decirse con seguridad que Gallego no tuvo un solo modelo sino que en verdad naturalizó las artes extranjeras en las cuales se inspiró, y, al hacerlo así, vino a reaseverar su españolismo. Es precisamente en esto en que ha de encontrarse su verdadera e insuperable excelencia.

FRANCISCO GALLEGO

FRANCISCO GALLEGO

The whole problem of Fernando Gallego has been complicated by a notice discovered by Gómez-Moreno which indicates that the St. Catherine Altarpiece from the Old Cathedral of Salamanca[1] was not painted by Fernando, as was once supposed, but by one Francisco Gallego.[2] The document is from the accounts of the church funds of the Cathedral of Salamanca and shows three entries of interest:[3]

"given and paid to franco gallego painter for the retablo of Santa Catalina upon the order of the chapter and the vicar general four thousand [maravedis]"

In the same year [1500] there appear payments "to gallego painter . . . 1,000 mrs" and "to gallego painter 3,000."

In the year 1500 there also is found a payment "to francisco painter for painting ten angels' faces and for modeling them and fifteen apostles and a St. Lawrence and painting six lance-poles for Corpus Christi, etc." and in 1501 another to "franco painter for the doorcases which he painted and gilded

Todo el problema de Fernando Gallego ha sido complicado por un dato descubierto por Gómez Moreno que indica que el altar de Santa Catalina de la antigua catedral de Salamanca[1] no fué pintado por Fernando como se suponía, sino por un tal Francisco Gallego.[2] El documento viene de los archivos eclesiásticos de la catedral de Salamanca y muestra tres asientos de interés;[3]

"dió e pagó a franco gallego pintor pa el retablo de Santa Catalina por mandamiento del cabildo e del señor provisor quatro mil mrs."

En el mismo año [1500] aparecen pagos "al gallego pintor . . . 1000 mrs." y "al gallego pintor 3000."

En el año 1500 también se encuentra un pago "a francisco pintor por pintar diez caras de ángeles e enmoldallas e quince apóstoles e un Sant Lorenço e pintar seis varas de lanças para el corpus christi, etc." y en 1501 otro "a franco pintor por las chambranas q pintó e doró pa los órganos, e la talla qe pagó al entallador."[4]

for the organs, and the carving which he paid to the sculptor."[4]

Attributed also to Francisco are two panels formerly incorporated in Nicolas Florentino's retablo in the Old Cathedral in Salamanca,[5] but now in the Diocesan Museum. These depict the Road to Calvary and the Pietà.[6]

Several explanations have been offered: Francisco might have been created by a scribal error or confusion of some sort. After all, Fernando and Francisco are similar names.[7]

Francisco could have been a younger brother or a son of Fernando's, apprenticed to his relative. Post insists that the St. Catherine Altarpiece is an imitation of the Gallego style and consequently gives the work to Francisco.[8] Elsewhere it is noted that the color in this triptych is different—hotter—which would lend support to a belief in the existence of Francisco.[9] Gaya Nuño insists that the undeniable documentation of the altarpiece, coupled with a clear distinctness of style in the work itself, indicate Francisco's existence as a separate master. He also suggests that Francisco was more probably Fernando's younger brother, because a son, being even younger, would have been more likely to be independent and progressive.[10] With this view it is not difficult to agree.

Another confusing issue is raised by the appearance of a "Gallego, painter" in Santo Domingo de la Calzada in 1531–1532.[11] It has not yet been determined what relationship obtained between him and Fernando or Francisco,[12] but the work is described as Gallegan in style.

Brief mention should be made of another identifiable painter associated with Francisco Gallego. Pedro Bello is known by documentation to have painted in 1503 the set of canvas doors now in the Diocesan Museum in Salamanca.[13] Originally done in conjunction with Francisco's altarpiece,[14] they draw heavily upon his style, but are a gross caricature of the Gallegan manner in general.

CHAPTER 4

Se atribuyen también a Francisco dos paneles que antiguamente estaban incorporados en el retablo de Nicolás Florentino en la antigua catedral de Salamanca,[5] pero que se encuentran ahora en el Museo Diocesano. Muestran el Camino al Calvario y la Pietá.[6]

Se han hecho varias explicaciones:

Francisco pudo haber sido creado por un error del escribano o por confusión de alguna clase. Después de todo, Fernando y Francisco son semejantes.[7]

Francisco pudo haber sido un hermano menor o un hijo de Fernando, que servía de aprendiz a su pariente. Post insiste que el altar de la catedral de Santa Catalina es una imitación del estilo de Gallego y consecuentemente atribuye la obra a Francisco.[8] En otra ocasión notamos que el color en este tríptico es diferente—más cálido—que podría prestar apoyo a la creencia de la existencia de Francisco.[9] Gaya Nuño insiste que la documentación innegable de la pieza del altar junto con una distinción clara de estilo del trabajo mismo, es prueba suficiente de la existencia de Francisco como maestro pintor. También sugiere que Francisco probablemente era el hermano menor de Fernando porque si hubiera sido su hijo, siendo aun más joven, con toda probabilidad sería independiente y progresista.[10] Yo estoy de acuerdo con esta opinión.

Surge otro problema con la apariencia de un "Gallego, pintor" en Santo Domingo de la Calzada en 1531-1532.[11] No se ha determinado todavía qué relación existe entre él y Fernando o Francisco,[12] pero la obra se ha descrito como del estilo de Gallego.

Se debe hacer mención de otro pintor muy identificado, asociado con Francisco Gallego. Según documentos se sabe que Pedro Bello pintó en 1503 el grupo de puertas de lienzos que están en el Museo Diocesano de Salamanca.[13] Ejecutadas originalmente en conjunción con el altar de Francisco,[14] se apoyan mucho en su estilo pero son una burda caricatura de la manera de Gallego en general.

THE RETABLO OF THE CATHEDRAL OF CIUDAD RODRIGO

EL RETABLO DE LA CATEDRAL DE CIUDAD RODRIGO

Don Antonio Ponz, in his *Viage de España*,[1] gives the earliest description of Ciudad Rodrigo that I have discovered. He tells of many of the monuments and public-spirited men of the town up to and including those of his own day. He also locates the town and describes the economy that could support a great cathedral. Omitting most of the material that relates to a later time, I excerpt from Ponz's account:

> Our traveller does not wish to leave for another time the notes which he may now give . . . and having obtained them for Ciudad-Rodrigo from one of his friends, a person learned, zealous, and much in his confidence,[2] he has desired that part of the said notes serve as an addition to those on Salamanca. . .
>
> The distance from Salamanca to Ciudad-Rodrigo is sixteen leagues. . . .
>
> The situation of this city is a level landscape, expanding its flatness toward the north, and enclosed on the other sides at a distance of five or six leagues by [mountains]. There is a parade ground: its ramparts are from the time of Ferdinand of León,[3] [and an alcazar from 1410] . . .
>
> The city has seven gates by which, with the ramparts and alcazar, it has been fortified . . .
>
> The population is reported to be 2,000 citizens: it has eight parishes, nine convents of nuns and monks, a church of the Order of St. John, and two hospitals.
>
> Close to Ciudad-Rodrigo passes the Agueda River . . .
>
> An ancient Roman aqueduct has perished . . . in the bishopric there may be found . . . mines in the hills, copper, lead, iron, and even gold. It has an abundance of vegetables and fruit . . .
>
> Ciudad-Rodrigo is among the most abundant in Spain in cattle, wool and goats; and the principal harvests of the territory are all kinds of grain, oil, wine, honey, almonds, hawthorne, etc. . . .

CHAPTER 5

Don Antonio Ponz, en su *Viage de España*[1], nos da la descripción más antigua de Ciudad Rodrigo que he descubierto yo. Nos describe muchos de los monumentos y los habitantes de espíritu cívico de la ciudad hasta e incluyendo los de sus propios días. También sitúa la ciudad y describe la economía que pudo mantener a una gran catedral. Omitiendo la mayor parte del material que se refiere a los tiempos más recientes, cito de la obra de Ponz:

> Quisiera nuestro Viagero no dexar para otro tiempo las noticias que puede dar en el presente . . . y habiéndolas adquirido de Ciudad-Rodrigo por uno de sus amigos, persona instruida, zelosa, y muy de su confianza,[2] ha querido que parte de dichas noticias sirvan como de adicion á las de Salamanca . . .
>
> La distancia desde Salamanca á Ciudad Rodrigo es de diez y seis leguas . . .
>
> La situacion de esta Ciudad es una campiña rasa, dilatándose sus llanuras ácia el Norte, y cerrándola por los otros lados en la distancia de cinco, ó seis leguas [por varias montañas]. Es plaza de armas: sus murallas son del tiempo de Fernando II. de Leon,[3] [y un alcázar de 1410] . . .
>
> La Ciudad tiene siete puertas, que con la muralla, y Alcazar se han fortificado . . . La poblacion se reputa de dos mil vecinos: tiene ocho Parroquias, nueve conventos de Religiosos, y Monjas, una Iglesia de la Orden de San Juan, y dos Hospitales.
>
> Pasa por junto á Ciudad-Rodrigo el rio Agueda . . .
>
> Pereció un antiguo aqüeducto de Romanos . . . en el Obispado se encuentran . . . minas de alcor, cobre, plomo, hierro, y aun de oro. Tiene abundancia de legumbres, y fruta así de huertos . . .
>
> Es Ciudad-Rodrigo de las mas abundantes de España en ganado vacuno, lanar, y cabrío; y las cosechas principales del territorio son todo género de granos, aceyte, vino, miel, almendras, fruta de espino, etc. . . .

In an angle of the great plaza there remain three Roman columns [with inscriptions] . . .

The cathedral is of the time of Fernando II of León and his architect was Benito Sanchez . . . It is this temple of Gothic without purity, as also the two sections of the cloister, which were made then: the other two are more modern and their architect was Pedro Gómez . . . [the cathedral] was finished in the year 1556.

There are very estimable treasures inside it, as in the great retablo which was finished in 1488 . . . [Further descriptions are of later works of art].

As far as it known, here is the first reference to the retablo of Ciudad-Rodrigo. It says nothing concerning the authorship of that work, but merely dates it—1488.

Modern authorities have consistently ascribed the work to Fernando Gallego until Post denied this in 1938. Since then they have been loath to do so. They have, also, consistently dated the work in the 1480's. A history of the attributions and some other observations are interesting.

In 1905, Sir Charles Robinson[4] gave the panel of *The Resurrection* to Fernando in an article dealing with the influence of the "Maître de Flémalle" in Spain. *The Last Judgment* panel he regarded as so much like the "Maître de Flémalle's" work that he was tempted to give it to him.

In 1907, Herbert Cook,[5] who owned the pictures, claimed Fernando Gallego as one of three Hands working on the panels. He dated the work around 1480. This was to be the prevailing opinion for twenty-five years, although the *Abridged Catalogue of the Pictures at Doughty House; Richmond,*[6] issued in the same year, mentioned four Hands of equal aptitude.

In 1908 Michel's *Histoire de l'Art*[7] mentioned three Hands including Fernando Gallego and the so-called "Maître aux Armures," a distinct personality introduced by E. Bertaux.

CHAPTER 5

In 1909, August Mayer[8] gave twelve panels to Fernando, others to the "Maître aux Armures," whom he likened to Conrad Witz, and the rest to a third Hand. He called the retablo the main work of Fernando's circle.

In 1912 and 1914, A. de Beruete y Moret[9] called the work by several Hands, including Fernando Gallego and the "Maître aux Armures." He dated the work around 1480.

En un ángulo de la plaza mayor se conservan tres columnas Romanas [con inscripciones] . . .

La catedral es del tiempo de Fernando II. de Leon, y su Arquitecto se llamó Benito Sanchez . . . . Es este Templo un gótico sin finura, como tambien los dos tramos del claustro, que se hicieron entonces: los otros dos son mas modernos, y su Arquitecto fué Pedro Güemez . . . . [La catedral] se acabó el año de 1556.

Hay alhajas muy estimables dentro de ella, así en el retablo mayor, que se acabó en 1488 . . . . [Las descripciones subsecuentes son de obras de arte más recientes].

Aquí, según mi opinión, encontramos la primera referencia al retablo de Ciudad Rodrigo. No nos dice nada con respecto a quien puede ser el autor de esta obra, únicamente nos da la fecha— 1488.

Los críticos modernos consistentemente han atribuído la obra a Fernando Gallego hasta que Post lo negó en 1938. Desde entonces han dejado de hacerlo. También han seguido fijando la fecha de la obra en mil cuatrocientos ochenta y tantos. Es interesante la historia de las atribuciones y algunas otras observaciones a ese respecto.

En 1905, Sir Charles Robinson[4] atribuyó el panel de *La Resurrección* a Fernando en un artículo que tenía que ver con la influencia del "Maître de Flémalle" en España. El panel de *El Juicio Final* lo consideró tan semejante a la obra del "Maître de Flémalle" que estuvo por atribuírselo.

En 1907, Herbert Cook,[5] dueño de los cuadros, consideró a Fernando Gallego como una de las tres Manos que trabajaron en los paneles. Fijó la fecha de la obra cerca de 1480. Esta había de ser la opinión que prevaleció por veinte y cinco años, aunque el *Abridged Catalogue of the Pictures at Doughty House, Richmond,*[6] publicado el mismo año, mencionó cuatro pintores de igual aptitud.

En 1908 en la *Histoire de l'Art*[7] de Michel se mencionan tres Manos incluyendo a Fernando Gallego y al llamado "Maître aux Armures," una personalidad definida introducida por E. Bertaux.

En 1909, August Mayer[8] atribuyó doce paneles a Fernando, otros al "Maître aux Armures," a quien comparó con Conrad Witz y el resto a una tercera Mano. Llamó al retablo la obra principal del círculo de Fernando.

En 1912 y 1914, A. de Beruete y Moret[9] atribuyó la obra a varias manos, incluyendo a

In 1914 Bertaux[10] gave the predella to Fernando, but did not mention his own "Maître aux Armures" or anyone else.

In 1915 Maurice W. Brockwell[11] found Fernando to be one of four or five Hands. He dated the work around 1480.

In 1920 J. C. Holmes[12] placed Fernando among "several" Hands.

In 1923 Balerian von Loga[13] distinguished three Hands and called one Fernando, but was not sure which one. The work, he said, ranged from fine to student quality, and all three Hands showed Gallego's characteristics.

In 1927 Gómez-Moreno and Sánchez Cantón[14] dated the work between 1480 and 1488 and distinguished Fernando Gallego and the "Maître aux Armures" among "other" Hands.

In 1928 Pierre Paris[15] gave the work, possibly, to Fernando Gallego and, certainly, to "many" Hands in his workshop.

But the opposition was building up. In the entry on Gallego in Thieme-Becker in 1920,[16] the work is simply called "close" to Gallego. Post, in 1933, authoritatively denied Fernando's authorship of the work.[17] He saw but one Hand dominating the production. This Hand he called the "Maître aux Armures" who, he said, also painted some panels in the retablo of Santa Maria la Mayor in Trujillo. He noted many differences between Fernando's work and that of the Ciudad Rodrigo Master, but admitted similarities in their concern with settings and landscapes, their Flemish-inspired love of jewels and domestic details, their spindle-legged nudes, and their device of vocalization by the means of scrolls.[18] He also noted that, before it was dismantled, the framing for the panels bore an inscription dating it 1480–1488.[19] Later critics have largely accepted Post's dictum. Gudiol, writing in 1941, put the work in Fernando's workshop.[20] Mayer recanted on his earlier attribution. Already, in 1913, he had weakened his opinion and admitted Francisco as a possible author,[21] but in 1942 he merely gave it to several Hands and mentioned no one.[22] At this time he called the Witz-like painter simply the "principal Hand," while claiming a Schongauer influence on *The Procession to Calvary*. At this time, also, he gave to the "Maître aux Armures" the retablo usually given to the "Master of the Retablo of the Reyes Catolicos," a personality first distinguished by Post.[23] One panel of this dispersed retablo is now in the Kress Collection at

Fernando Gallego y al "Maître aux Armures." Fijó la fecha de la obra cerca de 1480.

En 1915 Bertaux[10] atribuyó la predela a Fernando pero no mencionó a su propio "Maître aux Armures" ni a nadie más.

En 1915, Maurice W. Brockwell[11] descubrió que Fernando era uno de cuatro o cinco pintores. Fijó la fecha de la obra cerca de 1480.

En 1920 J. C. Holmes[12] colocó a Fernando entre "varias" Manos.

En 1923 Balerian von Loga[13] distinguió a tres Manos y llamó a uno de ellos Fernando, pero no estaba seguro de cuál de ellos era. La obra, dijo, iba de fina calidad a calidad de aprendiz, y todas las tres Manos mostraban las características de Gallego.

En 1927 Gómez Moreno y Sánchez Cantón[14] colocaron la fecha de la obra entre 1480 y 1488 y distinguieron a Fernando Gallego y al "Maître aux Armures" entre "otras" Manos.

En 1928, Pierre Paris[15] atribuyó la obra posiblemente a Fernando Gallego y, ciertamente, a "muchas" Manos en su taller.

Pero iba aumentando la oposición. Al hablar de Gallego, Thieme-Becker en 1920,[16] la obra se dice ser sencillamente "parecida" a la de Gallego. Post en 1923 con autoridad negó que Fernando era autor de este cuadro.[17] Vió que una sola Mano dominaba la producción. A esta Mano la llamó el "Maître aux Armures" que, dijo, también pintó unos paneles en el retablo de Santa María la Mayor en Trujillo. Apuntó muchas diferencias entre la obra de Fernando y la del maestro de Ciudad Rodrigo, pero admitió semejanzas en su preocupación por los escenarios y paisajes, su devoción casi flamenca por las joyas y los detalles domésticos, sus desnudos de piernas delgadas, y su manera de vocalización por medio de volutas.[18] Tambien apuntó que, antes de ser desmantelado, el marco de los paneles tenía una inscripción fechada 1480-1488.[19] Los críticos que vinieron después han aceptado en su mayoría el dictado de Post. Gudiol, escribiendo en 1941, colocó la obra en el atelier de Gallego.[20]. Mayer se recantó de sus atribuciones anteriores. Ya en 1913 había cambiado de opinión y admitía a Francisco como posible autor,[21] pero en 1942 sencillamente lo atribuyó a varias Manos y no nombró a ninguno en particular.[22] Con esta fecha sencillamente llamó al pintor semejante a Witz sencillamente el "pintor principal," en tanto que apuntaba la influencia de Schongauer sobre *El Calvario*. También entonces atribuyó al "Maître

the University of Arizona. Whereas the works of the two masters are indisputably of the same school and very close in date, I am by no means tempted to believe that they are from the same Hand. As late as 1952, Jacques Lassaigne[24] called the Ciudad Rodrigo work merely "influenced" by Fernando.

More recently, however, Professors Gudiol and Gaya Nuño have restored the paintings to Fernando's own hand and to his assistants', although they do not agree as to the specific attributions of the panels.

In the years that the paintings have been in the possession of the Kress Foundation, they have been subjected to careful study, and certainly their longest and closest scrutiny, by Professor Mario Modestini and Dr. Wilhelm Suida. In verbal opinions given to me, both of these scholars named Fernando as the principal Hand. Dr. Suida did this on the basis of comparison with other Gallego paintings that he had seen and on the basis that our panels are simply too good to be merely "close" to Gallego. Professor Modestini agreed, seeing several distinct Hands, one of which is certainly Fernando Gallego.

I have examined the panels several times and at length. I have also examined the signed works of Fernando Gallego and his other major productions in Spain. Careful comparison of the various paintings revealed that there were five Hands at work upon the retablo of Ciudad Rodrigo. Of these, two were major Hands; artists of the first magnitude. Two others were minor Hands; artists of lesser attainment or apprentice status. The fifth Hand occurs but once and is very unimportant. Of the two major Hands, one is certainly Fernando Gallego, the director of the entire work and the greatest single contributor. The other is that master called "Maître aux Armures" by Bertaux and "Maestro de los Rostros Siniestros" by Gaya Nuño. This master, unhappily not yet further identifiable with any precision, seems to appear almost uniquely, but in full maturity, in our retablo. Of the two minor Hands, one is herein identified as a separate personality for the first time. Because of his most striking individual mannerism, I call him "The Lip Painter." Like the second Hand above, he seems to appear uniquely here. The second minor Hand is certainly Franisco Gallego, here perhaps making his first appearance as an independent master.

Each Hand may be distinguished by personal stylistic qualities, although each conforms to a

aux Armures" el retablo que por lo general se atribuye al "Maestro del Retablo de los Reyes Católicos," una personalidad que distinguió primero Post.[23] Un panel de este retablo disperso está ahora en la Colección Kress de la Universidad de Arizona. En tanto que las obras de los dos maestros son indiscutiblemente de la misma escuela y muy cercanas en cuanto a fecha, yo no me inclino a creer que sean de la misma Mano. Recientemente, en 1952, Jacques Lassaigne[24] llamó a la obra de Ciudad Rodrigo únicamente "influenciada" por Fernando.

Más recientemente, sin embargo, los profesores Gudiol y Gaya Nuño han restaurado los cuadros a la propia mano de Fernando y de sus ayudantes, aunque no están de acuerdo en cuanto a las atribuciones específicas de los paneles.

En los años en que las pinturas han estado en manos de la Fundación Kress, se les ha sujetado a un estudio cuidadoso y, ciertamente, el escrutinio más largo y más exacto por el profesor Mario Modestini y el doctor Wilhelm Suida. En opiniones verbales que me han expresado, ambos de estos señores atribuyen la Mano principal a Fernando. El doctor Suida hizo esto bajo la base de comparación con otros Gallegos que había visto y bajo la base de que nuestros paneles eran sencillamente demasiado buenos para ser únicamente "semejantes" a los de Gallego. El profesor Modestini estuvo de acuerdo, notando varias Manos distintas, una de las cuales es seguramente Fernando Gallego.

He examinado los paneles varias veces y con detenimiento. También he examinado las obras firmadas de Fernando Gallego y sus otras producciones principales en España. Una comparación cuidadosa de varias pinturas revela que hubieron cinco artistas trabajando en el retablo de Ciudad Rodrigo. De éstos, dos eran artistas principales, de primera magnitud. Dos otros eran Manos menores, artistas de menor categoría o aprendices. La quinta Mano ocurre sólo una vez y es de poca importancia. De las dos Manos mayores, una es ciertamente Fernando Gallego, el director de toda la obra, y el contribuyente más grande de ellos. La otra es de ese maestro llamado "Maître aux Armures" por Bertaux y "Maestro de los Rostros Siniestros" por Gaya Nuño. Este maestro, que desgraciadamente no puede identificarse mejor con mayor precisión, aparece casi únicamente, pero en plena madurez, en nuestro retablo. De los dos artistas menores, uno se identifica aquí como una personalidad por separado por primera

general manner which has been given the name Hispano-Flemish and, within that generality, to a narrower manner which we may call "Gallegan."

Hand I is, generally speaking, the most modern of the five. He is also the most subtle and restrained and, it might be said, the most satisfying. His faces are seen at their finest in the large saints of the predella. They are well-drawn, calm, but expressive. They take on a certain intensity through the drawing together of the brows over the nose. The cranial and facial hair is treated with great variety of texture, color, and degree of thickness and thinness. They possess a slight strabism, a peculiarity that separates the Spanish from the more sophisticated Flemish styles, and there is frequently a featuring of the teeth, a peculiarity that relates the work to Conrad Witz. The face of Christ, although partaking of the general style, is calm, detached, and beatified. Seen among the more intense surrounding faces, the Christ stands forth as a unique, superior personality.

Like the faces, the hands are well-drawn and expressive. They are occasionally seen in complex arrangements which none of the other Hands attempt. Note especially the hands of the saints of the predella, those of Christ and Lazarus in *The Raising of Lazarus*, those of Pilate in *Pilate Washing his Hands*, the bound hands of Christ in the *Ecce Homo*, and those of the priest in the *Circumcision*.

In body build, the figures of Hand I most resemble those of Dirk Bouts. They are thin and long-legged. Of all the figures of the retablo, these are the most natural in attitude and proportion. Characteristically, they tend to incline forward.

Hand I paints in the most plastic manner of any painter associated with the retablo. This may be seen most clearly in the rendering of the draperies, which are done in strong chiaroscuro and appear to be so solid as to be almost rock-like. This is another similarity to Conrad Witz. Clearly northern, too, is the tendency of the folds to be angular and to end in little hooks. The hems and contours of the draperies of Hand I are the most complicated of all. Hand I takes a certain restrained interest in special effects. There are occasional fabrics in brocade or velvet textures where the textural quality, however, is subordinated to the chiaroscuro, and plasticity is consequently more important than ornamentation. In

CHAPTER 5

vez. Debido a su manera individualista más revelante, yo le llamo "el Pintor de Labios." Como la segunda Mano ya mencionada, aparece únicamente aquí tal vez por primera vez como maestro independiente.

Cada Mano puede distinguirse por cualidades estilísticas personales, aunque todas se conforman hacia una manera general a la cual se ha dado el nombre de hispano-flamenca y, dentro de esa generalidad, una manera un poco más estrecha que podemos llamar "Gallega."

La Mano I, generalmente hablando, es la más moderna de las cinco. Es también la más sutil y restringida y, puede decirse, la más satisfactoria. Las caras que pinta se ven mejor en los grandes santos de la predela. Están bien dibujadas, serenas pero expresivas. Toman una cierta intensidad por medio de la manera de dibujar juntas las cejas encima de la nariz. El pelo del cráneo y del rostro es tratado con gran variedad de textura, colorido y un grado de grosor y delgadez. Poseen un ligero estrabismo, una peculiaridad que separa al estilo español del flamenco un poco más sofisticado, y con frecuencia hay un énfasis en los dientes, peculiaridad que relaciona la obra con la de Conrad Witz. El rostro de Jesús, aunque participando del estilo general, es sereno, solitario y beatificado. Comparado con los rostros más intensos que lo rodean, el de Jesús se destaca con una personalidad única y superior.

Las manos, como los rostros, están bien dibujadas y son expresivas. En ocasiones se ven en unos arreglos complejos que no trata de pintar ninguno de los otros artistas. Nótense en particular las manos de los santos de la predela, las de Jesús y Lázaro en *La Resurrección de Lázaro*, las de Pilotos en El Lavatorio de Pilotos, en *Pilatos se lava las manos*, las manos atadas de Jesús en *Ecce Homo* y las del sacerdote en *La Circuncisión*.

En la estructura del Cuerpo, las figuras del Artista I se parecen más a las de Dirk Bouts. Son delgadas y con piernas alargadas. De todas las figuras del retablo, éstas son las más naturales en actitud y proporción. Característicamente, tienen la tendencia a inclinarse un poco hacia adelante.

El Artista I pinta de una manera más plástica que todos los pintores asociados con el retablo. Esto puede verse claramente en la manera de presentar los cortinajes que están hechos en un fuerte claro-obscuro y que parecen ser tan sólidos que casi dan la impresión de rocas. Esta es otra semejanza con Conrad Witz. Claramente del Norte, también, es la tendencia de los dobleces

Figure 1

Figure 2

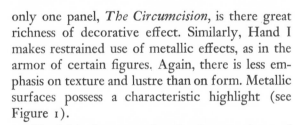

only one panel, *The Circumcision*, is there great richness of decorative effect. Similarly, Hand I makes restrained use of metallic effects, as in the armor of certain figures. Again, there is less emphasis on texture and lustre than on form. Metallic surfaces possess a characteristic highlight (see Figure 1).

Hand I is the most adept landscape painter of the lot. His landscapes show a strong sense of space. All painters of the school tend to use high horizons and depend upon the device called "vertical projection" to produce a sense of distance. By vertical projection is meant the convention of raising things in the picture format to indicate distance into the picture. Used together with a consistent diminishing of scale wth distance, it is quite effective. Generally speaking, vertical projection gives the appearance of a topographic view; the ground plane seems to be viewed from a great height. The result is a clear, almost maplike, apprehension of the placement of various objects upon the ground; an advantage in narrative painting. On the other hand, the convention often produces a very flat result, the horizontal ground plane rearing up to a vertical, with consequent

a ser angulares y a terminar en pequeños ganchos. Los dobladillos y contornos de los cortinajes del Artista I son los más complicados de todos. La Mano I tiene un cierto interés restringido por efectos especiales. Hay algunas telas con textura de brocado o terciopelo donde la calidad de la textura, sin embargo, está subordinada al claro-obscuro, y la plasticidad es, por consecuencia, más importante que la ornamentación. Sólo en un panel, *La Circuncisión*, hay gran riqueza de efecto decorativo. Igualmente, la Mano I hace un uso contenido de los efectos metálicos como se ve en las armaduras de ciertas figuras. También hay menos énfasis en la textura y en el lustre que en la forma. Las superficies metálicas poseen una concentración luminosa característica (véase la figura número 1).

La Mano I es el mejor pintor de paisajes de todos ellos. Sus paisajes muestran un fuerte sentido del espacio. Los pintores de toda la escuela tienen la tendencia a usar altos horizontes y dependen del artificio llamado "proyección vertical" para producir una sensación de distancia. Por proyección vertical se entiende la convención de elevar las cosas dentro del format del cuadro para indicar

loss of depth. Hand I, aware of scale, achieves a strong sense of depth. Partly, too, this is achieved by the device of pushing parts of the landscape back along a sharp zig-zag path. This device was almost universally used by artists of the late Gothic "International Style," and was much favored by the great Flemish artists who succeeded them. Unquestionably, Hand I received the device from Flemish sources. The angular quality of the path of recession may well have come from Dirk Bouts. Compare, for example, *The Raising of Lazarus* from our retablo with the panel of *Abraham and Melchizedek* from Bouts's Altarpiece of the Holy Sacrament.[25]

Hand I paints trees in a distinctive manner (see Figure 2). They are done in a uniform dark green with an over-all foliage texture in pale yellow-green. The clumps of foliage are large and rounded. Many forked branches are visible, and these and the tree trunks exhibit more chiaroscuro than do those of any other Hand. The foliage, too, is the richest in chiaroscuro. When seen from afar, the trees follow a uniform simplified formula (see Figure 3). In several instances, a number of exotic tree forms are introduced. There is, consequently, a great variety in tree forms, but uniformity in the rendering of plasticity and textures. As in other respects, Hand I most resembles Dirk Bouts in his rendering of trees. Bouts is more varied, however, whereas Hand I had developed a formula.

The ground plane in the landscapes is varied in texture, covered by stones of varied texture and form, with clumps of grass or occasional bushes.

Deep in the backgrounds are vistas of towns and other buildings. The architectural style is uniform; based on Flemish prototypes, it is Gothic, but introduces an element of fantasy. Characteristically, the buildings tend to lean to the right. Another specific hallmark is a peculiar pinnacle, most easily seen on the round towers in *Christ and the Woman of Samaria.* When the architecture sets the scene — for example a courtyard or room interior, it is always of a simple, basically Renaissance style, easier to handle in good perspective than the complex Gothic. Hand I loves to introduce side rooms, visible through open doorways, and with people in them. Space manipulation, as a result, is quite sophisticated.

When we speak of perspective in Hispano-Flemish painting, and of its excellence, it must be remembered that Spain learned the science from

CHAPTER 5

la distancia dentro del cuadro. Usando esto junto con una disminución consistente de escala con la distancia, es de gran efecto. Hablando generalmente, la proyección vertical da la apariencia de una vista topográfica; el plano del suelo parece ser visto desde una gran altura. El resultado es una aprehensión clara, casi como si fuera un mapa, de la colocación de varios objetos en el suelo: una ventaja en la pintura narrativa. En cambio, la convención a menudo produce un resultado bastante plano, el plano horizontal del suelo elevándose a uno vertical con la consecuente pérdida de profundidad. La Mano I, teniendo en cuenta la escala, llega a un fuerte sentido de profundidad. En parte se logra esto también empujando partes del paisaje hacia atrás a lo largo de un sendero en forma de zig-zag. Este artificio fué usado casi universalmente por los pintores del último "estilo internacional" gótico y fué muy favorecido por los grandes artistas flamencos que los sucedieron. Sin duda, el Artista I tomó este artificio de fuentes flamencas. La cualidad angular del sendero de recesión bien puede haber venido de Dirk Bouts. Compárese, por ejemplo, *La Resurrección de Lázaro* de nuestro retablo con el panel de *Abraham y Melquizedek* del Guardapolvos del Sagrado Sacramento de Bouts.[25]

La Mano I pinta árboles de una manera diferente (véase la figura número 2). Los pinta con un verde obscuro uniforme con una textura del follaje de un verde amarillento pálido. Los grupos de follaje son grandes y redondeados. Se ven muchas ramas bifurcadas, y éstas y los troncos de los árboles muestran más claro-obscuro que los que pintan otras Manos. El follaje también es el más rico en claro-obscuro. Vistos desde lejos, los árboles siguen una fórmula uniforme simplificada (véase la figura número 3). En varios casos se introduce un número de árboles exóticos. Hay consecuentemente, una gran variedad de formas de árboles, pero uniformidad en el tratamiento de plasticidad y texturas. Como en otros respectos, la Mano I se asemeja más a Dirk Bouts en su tratamiento de árboles. Bouts, sin embargo, es más variado en tanto que el Artista I ha desarrollado una fórmula.

El plano del suelo en los paisajes es variado en textura, cubierto por piedras de texturas y formas variadas con grupos de pasto o uno que otro arbusto.

Lejos en el fondo hay vistas de pueblos y de otros edificios. El estilo arquitectónico es uniforme; basado en prototipos flamencos, es gótico

Figure 3

the northern countries, where it was not so well-known as it was in Italy. The earliest transalpine publication on the subject was *De artificiali perspectiva* by Jean Pélerin le Viateur.[26] This work appeared in Toul in 1505 and went through two more editions in 1505 and 1521. Earlier tracts had dealt with *perspectiva communis*, a medieval idea of optics and mathematical discipline. Viateur's work dealt with *perspectiva artificialis*, which was a pictorial representation. In addition, this system replaces "aspective," which is the recording of naive nature-observations and impressions of a purely empirical sort. This latter system is to be seen in Netherlandish painting of the fifteenth century, whence it passed to Spain and was followed by the Hispano-Flemish painters, including ours.[27] Within this system, by close observation, the Netherlandish artists arrived at an accuracy so close as to seem measured, which, however, it never was. Nor was Netherlandish perspective ever theoretical in the Italian manner. These considerations, in Spain, were taken much more loosely, for accuracy and theory were considerably less Spanish interests than Flemish. The judgment of perspective in Spanish painting at

pero introduce un elemento de fantasía. Característicamente, los edificios tienen la tendencia a inclinarse a la derecha. Otra característica específica es un pináculo peculiar que se ve fácilmente en las torres redondas de *Jesús y la Samaritana*. Cuando la arquitectura tiene el papel de situar la escena, como un patio o el interior de un cuarto, siempre es de un estilo sencillo, básicamente renacentista, más fácil de manejar en buena perspectiva que el gótico complejo. La Mano I goza de introducir cuartos laterales, visibles a través de puertas abiertas y que tienen gentes en ellos. El manejo del espacio, como resultado, es bastante sofisticado.

Cuando hablamos de la perspectiva en la pintura hispano-flamenca y de su excelencia, debe recordarse que la ciencia no era tan bien conocida en los países del Norte, de donde la imitó España, como lo era en Italia. Las primeras publicaciones transalpinas sobre este asunto fueron *De artificiali perspectiva* por Jean Pélerin le Viateur.[26] Esta obra apareció en Toul en 1505 y tuvo dos ediciones más en 1505 y 1521. Los tratados anteriores tenían que ver con la *perspectiva communis*, una idea medioeval de la óptica y de la disciplina mate-

this time is, then, relative to the attitude of the Hispano-Flemish artists.

In this connection, it might be mentioned that the view from one room into another, or from a room out a window, or from the outdoors into a room through a doorway, were all Netherlandish preoccupations. For the Fleming, and later especially for the Dutch painter of the seventeenth century, the interest was a scientific one in the quality of the light under the several conditions noted. This interest is to be seen in Spain from time to time, as in Velazquez's celebrated *Las Meninas*, but it was rare after the Hispano-Flemish era. In our paintings, it will be seen that although those panels associated with Hand II contain blank doors and empty windows, that the large architectural confections of Hand I show many views of something through doors and windows. They look in and out of doors, and from one room into another. The quality of light always changes with the change of situation, but not drastically. Apparently, here, a Netherlandish device has been adopted, not for its scientific interest, but because it is variable and dramatic.

Every element described above is present somewhere in the three signed works of Fernando Gallego, and most of them are present in abundance. A particular point to be made is the identical pattern and treatment of the gold backgrounds in the panels of the predellas in our retablo and the signed work in Zamora. Two highly interesting points of comparison may be made between panels in the Ciudad Rodrigo retablo and that in Trujillo, accepted by most authorities as a mature work of Fernando's and which, I assert, was produced immediately anterior to our work. The saints in the Ciudad Rodrigo predella bear a remarkably close resemblance to the similarly large figures of the four evangelists placed on the sides of the Trujillo altarpiece. Also, there is a depiction of *The Agony in the Garden* in each work that shows identical conceptions of the theme. The depictions are remarkably close in arrangement and are full of near-identical details.

The panels by Fernando include the three surviving panels of the predella, each consisting of paired portraits of saints in a simple, basic chiaroscuro, seen against a rich gold background which is wrought in a design of heraldic animals in brocade-like patterns. This is the only profuse use of gold in the whole retablo. The faces are strong, not pretty. Details of all sorts are meticulously rendered: the lines of the faces, the folds around

mática. La obra de Viateur tenía que ver con la *perspectiva artificialis*, que era una representación pictórica. Además, este sistema reemplaza a la "aspectiva," que es el historial de observaciones cándidas de la naturaleza, e impresiones de un tipo puramente empírico. Este último sistema se ve en la pintura de los Países Bajos del siglo XV de donde pasó a España y fué seguido por los pintores hispano-flamencos, incluyendo a los que discutimos.[27] Dentro de este sistema, por una observación cuidadosa, los artistas neerlandeses llegaron a una exactitud tan estrecha que parece medida aunque, sin embargo, nunca lo fué. La perspectiva de los Países Bajos nunca fué teórica a la manera italiana. Estas consideraciones en España se hicieron mucho más flexibles puesto que la exactitud y la teoría se consideraban de menor interés para los españoles que para los flamencos. El concepto de la perspectiva en la pintura española de este tiempo es, pues, relativo a la actitud de los artistas hispano-flamencos.

A este respecto, puede mencionarse que la vista de un cuarto a otro o de un cuarto por una ventana, o la vista del aire libre a un cuarto por una puerta fueron todas preocupaciones de los artistas de los Países Bajos. Para los flamencos, y más tarde especialmente para los pintores holandeses del Siglo XVII, el interés fué científico en la calidad de la luz bajo las distintas condiciones señaladas. Este interés ha de verse en España de vez en cuando como en la celebrada pintura *Las Meninas* de Velázquez, pero fué poco común después de la era hispano-flamenca. En nuestras pinturas, se verá que aunque esos paneles que se asocian con la Mano II contienen puertas en blanco y ventanas vacías, las grandes confecciones arquitectónicas de la Mano I muestran muchas vistas de algo a través de las puertas y ventanas. Ven hacia afuera y hacia adentro y de un cuarto a otro. La calidad de luz siempre cambia con el cambio de situación pero no de una manera drástica. Aparentemente, aquí, se ha adoptado un recurso holandés no por interés científico sino por ser variable y dramático.

Todo elemento ya descrito arriba está presente en alguna parte en las tres obras firmadas por Fernando Gallego, y la mayoría de ellos están presentes en abundancia. Una observación en particular que debe hacerse es el patrón idéntico y tratamiento de los fondos dorados en los paneles de las predelas en nuestro retablo y en la obra firmada de Zamora. Dos puntos muy interesantes de comparación pueden establecerse entre paneles

the eyes, the teeth, the hair, the edges of the draperies, the textures of brocade and metals.

The Agony in the Garden, more than any other panel, shows Fernando's ability to handle space in the landscape; and has the most involved foliage patterns. The identical space handling is to be seen in the *Christ and the Woman of Samaria* and *The Raising of Lazarus* as well as, in a somewhat simpler manner, the other details of Fernando's landscape style. The far hills clearly show an affinity to those of the Flemings that culminated in the work of Patinir. Such mountains, like the rocks, are highly plastic.

The Charge to Peter reveals the master's ability to control interior space. The faces are close to those of the predella, as are such details as the handling of brocades. Christ wears almost the identical costume as he wears in *The Raising of Lazarus*. A similar interior is the setting for *Pilate Washing His Hands*. Fernando's impress may be seen in the expressive faces, the limber figures, lustrous armor, soft brocades, and fine draperies. The brocade is much subtler than Hand II's. Fernando uses much less of the ☰☰☰ cliché as a drawing device for rendering the textures and consequently makes them less decorative and more natural. Note again the interest in such details as teeth. Another interesting technical feature is visible in this panel. In the window in the upper left a drawn head is clearly visible. This head was never finished, but was painted out when the artist changed his mind about the design. The results of such a *pentimento*[28] will inevitably show in time. In this instance, it provides us with an excellent example of the master's drawing. The resemblance between this panel and the *Ecce Homo* is remarkable, and there can be no question that they were done at about the same time. Pilate, for example, who appears in each picture, wears the identical hat and robes in each instance.

The panels of *The Last Judgment* and *The Chaos* differ from the rest in that they both involve large groups of much smaller figures, and each is located in a non-terrestrial setting. Accepting these peculiarities, however, it becomes easy enough to see Fernando's hand at work in one of them, *The Last Judgment*. The small size of the figures surely accounts for the comparative crispness of the features and draperies. The individuality of the characters could only be associated with the Hand that was responsible for the saints of the predella. Attributable only to him, too, is the incredibly subtle and variable color. As

CHAPTER 5

en el retablo de Ciudad Rodrigo y el de Trujillo, aceptado por la mayoría de los críticos como una obra madura de Fernando y que yo asevero, fué producido inmediatamente anterior a nuestra obra. Los santos en la predela de Ciudad Rodrigo tienen una semejanza notablemente estrecha con los grandes figuras similares de los cuatro evangelistas colocados a ambos lados del guardapolvos de Trujillo. También hay una representación de *La Oración del Huerto* en cada obra que muestra concepciones idénticas del tema. Son bastante semejantes en cuanto al arreglo y están llenas de detalles casi idénticos.

Los paneles de Fernando incluyen los tres paneles supervivientes de la predela, cada uno consistiendo en retratos de santos por pares en un claro-obscuro básico sencillo, visto contra un rico fondo dorado que está trabajado en un diseño de animales heráldicos en diseños que se asemejan al brocado. Este es el único uso profuso del oro en todo el retablo. Las fisonomías son fuertes, no hermosas. Se representan meticulosamente los detalles de todas clases: las líneas de los rostros, los dobleces alrededor de los ojos, los dientes, el cabello, los bordes de los cortinajes, las texturas del brocado y de los metales.

La Oración del Huerto, más que ningún otro panel, muestra la habilidad de Fernando para manejar el espacio en el paisaje, y tiene los diseños de follaje más complicados. Un manejo idéntico del espacio se ve en el *Jesús y la Samaritana* y *La Resurrección de Lázaro* así como, de una manera un poco más sencilla, los otros detalles del estilo de paisaje de Fernando. Las colinas remotas claramente nos muestran una afinidad a las de los flamencos que culminaron en la obra de Patinir. Montañas así, como rocas, son altamente plásticas.

La Vocación de San Pedro revela la habilidad del maestro para controlar el espacio interior. Los rostros se parecen a los de la predela así como detalles como el manejo del brocado. Jesús lleva un traje casi idéntico al que lleva en *La Resurrección de Lázaro*. Un interior semejante es el escenario para *El Lavatorio de Pilatos*. El sello de Fernando puede verse en las caras expresivas, las figuras flexibles, la armadura lustrosa, los brocados suaves y los finos cortinajes. El brocado es mucho más sútil que el que pinta la Mano II. Fernando usa menos el cliché de tipo ☰☰☰ para representar las texturas y consecuentemente las hace menos decorativas y más naturales. Nótese otra vez el interés por detalles como los dientes. Otra característica técnica interesante es visible en

Figure 4

Professor Modestini has pointed out, the sequence of off-whites in the top rank of angels could only have been produced by a master, which is also true of the series of dark colors in the robes of the saints in the middle register. This, notes Professor Modestini, was highly unusual in this age of late Gothic art, and indicates a highly sensitive, artistic (as opposed to merely craftsmanlike) personality at work. Such color masses are, of course, present throughout Fernando's work, but are especially dramatic here.

Hand II, the second major Hand at work upon the retablo, differs importantly from Fernando. He is a master in his own right, in his way as able as Fernando himself, but he is less progressive. Hand II is essentially Gothic where Fernando is approaching the Renaissance. Hand II is heavily manneristic where Fernando is more naturalistic. And Hand II is highly dramatic, even melodramatic, where Fernando is restrained.

Hand II tends to draw faces in a highly expressive way. The Christ is always terribly sad, as indicated by painfully raised eyebrows and full lips (see Figure 4). Similarly, the master is a great painter of villains. Note particularly the brutal

este panel. En la ventana en la parte superior a la izquierda es claramente visible una cabeza dibujada. Esta cabeza no llegó a terminarse pero fué eliminada por el pintor cuando cambió de opinión acerca del diseño. Un *pentimento*[28] así inevitablemente vuelve con el tiempo. En este caso nos proporciona un ejemplo excelente del dibujo del maestro. La semejanza entre este panel y el *Ecce Homo* es notable, y no cabe duda de que se ejecutaron más o menos al mismo tiempo. Pilatos, por ejemplo, que aparece en ambos cuadros, lleva un sombrero y ropas idénticas.

Los paneles del *Juicio Final* y *Caos* difieren del resto en que ambos representan grandes grupos de figuras mucho más pequeñas, y cada uno está situado en una escena que no es terrestre. Aceptando estas peculiaridades, sin embargo, se hace relativamente fácil ver la mano de Fernando ejecutando uno de ellos, *El Juicio Final*. El tamaño pequeño de las figuras seguramente es responsable de la agudeza comparativa de las fisonomías y de los cortinajes. La individualidad de los personajes puede asociarse únicamente con la Mano que fué pintor de los santos de la predela. También puede atribuirse únicamente a dicho artista el colorido increíblemente sutil y variable. Como el profesor Modestini ya ha apuntado, la secuencia de colorido blanco en la fila superior de ángeles pudo haber sido producida únicamente por un maestro, lo cual también es cierto de las series de colores obscuros en las ropas de los santos en el centro. Esto, según nota el profesor Modestini, era muy poco común en esta edad del último arte gótico, e indica una personalidad altamente sensitiva y artística (en oposición a mera artesanía). Tales masas de colorido están presentes, por supuesto, por toda la obra de Fernando pero son especialmente dramáticas en este cuadro.

La Mano II, la segunda mano principal que trabajó en el retablo, difiere importantemente de la de Fernando. Es un maestro en sí, y en su manera es tan hábil como Fernando mismo, pero es menos progresista. La Mano II es esencialmente gótica en tanto que Fernando se acerca al Renacimiento. La Mano II es altamente manerista en tanto que Fernando es más naturalista. Y la Mano II es altamente dramática, aun melodramática en tanto que Fernando es más moderado.

La Mano II tiende a dibujar las fisonomías de una manera altamente expresiva. El Jesús siempre está terriblemente triste, siendo los indicios las cejas levantadas de una manera dolorosa y una boca plena (véase la figura número 4). Al mismo

faces of the soldiers in *The Resurrection*, the doctors in *Christ Among the Doctors*, and of Satan in *The Temptation*. The general facial contortions here seen are exaggerated by a greater strabism than Fernando uses. Other characteristics tend to be less variable than in Fernando's drawing. In the Christ, particularly, the forehead is lower. Hair textures generally are more regular, tending to run to a curly mannerism. A study of the hands reveals this master to be a less able draughtsman than Fernando. Although the hands are shown in large variety, they are usually too large and the gestures are often highly exaggerated or else very stiff. The weakness of the drawing is sometimes surprising. Note, for instance, the hands of the lower right figure in the *Christ among the Doctors* or those of the Christ and the figure immediately below Him in *The Transfiguration*.

In harmony with the dramatic intensity of the faces, the bodily postures are very energetic, even contorted. Hand II frequently gives the body a full twist so that the face is turned directly away from the direction of the feet. Fernando never does this. In keeping with the "over-acting," there is frequently an exaggerated musculature, as may be seen especially well in the soldiers in the *Calvary*. The Christ figure is more energetic than Fernando's, but is used in effective contrast to the other figures.

Draperies in general are plastic except when they are very dark. Then they tend to be flat. The folds are rounder than Fernando's, the chiaroscuro is less subtle, and the little hooks are absent. Hems and contours are simpler and more continuous. Hand II delights in special effects, which he uses in much greater quantity than Fernando, and which he makes far more obvious. He uses many brocades and also many velvets. In general, chiaroscuro is subordinated to texture, the result being more decorative and less plastic than in Fernando's work. Of particular importance is the master's ability to manipulate metallic surfaces such as those in *The Last Supper*, and the armor which appears in quantity in his panels. The emphasis on texture is pronounced, but in this instance, the form is also strong. There are many highlights, which differ from Fernando's. They are more linear and resemble the marking on a star sapphire (see Figure 5).

The master's landscapes show a strong sense of depth, but the space is organized differently from Fernando's. There is less integration between the foreground and background, a middle dis-

Figure 5

tiempo, el maestro es un gran pintor de villanos. Nótese en particular las caras brutales de los soldados en *La Resurrección*, los doctores del *Jesús entre los Doctores* y de Satán en *Las Tentaciones*. Las contorsiones faciales generales que se ven aquí se han exagerado por un estrabismo que usa Fernando. Otras características tienden a ser menos variables que en el dibujo de Fernando. En el Jesús, en particular, la frente es más baja. La textura del cabello generalmente es más regular, tendiendo hacia un manerismo de rizos. Un estudio de las manos revela que este maestro es un dibujante menos hábil que Fernando. Aunque las manos se muestran en gran variedad, por lo general son demasiado grandes y los gestos con frecuencia son altamente exagerados o aun bastante inflexibles. La debilidad del dibujo a veces es sorprendente. Nótese, por ejemplo, las manos de la figura de la parte inferior derecha en el *Jesús entre los Doctores* o las de Jesús y de la figura inmediatamente debajo de Él en *La Transfiguración*.

En armonía con la intensidad dramática de las fisonomías, las posturas de los cuerpos son muy enérgicas, aun contorsionadas. El Artista II fre-

tance being largely absent. In the background, the recession is along a winding path rather than the angular one Fernando uses. The ground plane in front is stratified, with smooth round stones scattered over it. The trees are consistently of the type shown in Figure 6. They are pale green with slight shadows in the clumps and dense brown shadows under the whole trees. The highlights in the clumps are linear and textured, in a very pale yellow. These touches serve to separate the clumps more than the shading does. The contours of the trees are usually round. When they are large, the trees show many forked branches. The buildings that appear in the distance are very different from Fernando's, being simpler and entirely Spanish. Interiors, or close architectural exteriors, are all Gothic. The perspective in all cases is inferior to Fernando's. As in other particulars, Hand II loves special effects in regard to building materials. Note the surface detailing of the tomb in *The Resurrection* and the glassy columns in *Christ among the Doctors.*

Hand II is unknown to us as a historical personality. It is he who Bertaux has styled the "Maître aux Armures," because of the remarkable armor so evident in several panels.[29] Gaya Nuño has recently suggested the name "Master of the Sinister Faces" because of this other remarkable feature.[30] The only effort to link this master with another painter is Gudiol's attempt to identify him with the Maestro Bartolomé who painted the *Virgen de la Leche* in the Prado.[31] The attribution is difficult to confirm, as there is no general agreement as to what other paintings, if any, can be given to this master. It is worth noting, however, that several faces bear some similarity to that of the Prado's Virgin, namely those of Adam and Eve in *The Creation of Eve,* the standing woman in *The Supper in the House of Simon,* the woman to the extreme left in *The Procession to Calvary,* and the Virgin in *Christ among the Doctors.*

CHAPTER 5   The opening panel of the retablo proper is *The Chaos.* This work is in various stages of completion and provides, in effect, a step-by-step record of how a member of Fernando's atelier went about his work. The panel is diagrammed in Figure 7, and the images are described in accordance with the zonal numbering. In zone 10 may be seen a bare sketch of the figures which is complete enough, however, to show that the master is confident and competent in his draughtsmanship. His line is lively and he knows how to lay in

Figure 6

Figure 7

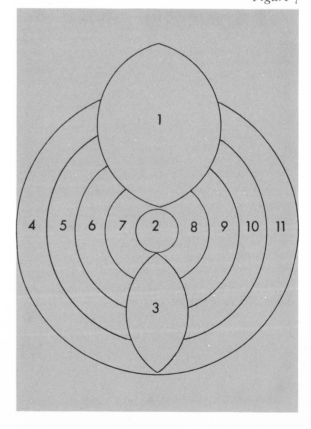

Figure 8

first things first and then fill in with further detail. In zones 4 and 6 the drawing is completed in detail and the chiaroscuro is indicated by hatchings. Zones 5, 8, and 9 are partly painted. The color is monochrome, to which are added white hatchings and black details. Zone 11 is further finished. There are still many linear touches, but all parts are more fully blended. Zone 7 shows the most complete of the angelic figures; the least linear and the most blended. Zone 3 shows a complete figure. The drapery is full and rich in chiaroscuro and the face is carefully finished. In zone 1, the face of God is also finished. The brocade, however, is flat and not subject to the shading. The angels are similar to those in zones 5, 8, and 9. Except for the earlier introduction of polychrome, this panel probably outlines the whole drawing and painting process of Fernando's workshop. The figures are here kept monochrome for iconographical and decorative reasons. This is the only panel showing a rigidly geometrical layout and, except for *The Last Judgment*, it is the only one in a hieratic layout.

Hand III is to be recognized in just two panels, *The Crucifixion* and *The Deposition*, which are

cuentemente da al cuerpo una torsión completa de tal manera que la cara está tornada por completo con respecto a la dirección de los pies. Fernando nunca hace esto. Armonizando con esta exageración dramática, a menudo hay una musculatura exagerada como puede verse especialmente en los soldados de *El Camino del Calvario*. La figura de Jesús es más enérgica que la de Fernando, pero se usa en un contraste de gran efecto con respecto a las otras figuras.

Los cortinajes en general son plásticos excepto cuando son muy obscuros y entonces tienen una tendencia a ser planos. Los dobleces más redondeados que los de Fernando, el claro-obscuro es menos sutil y los pequeños ganchos no están presentes. Los dobladillos y contornos son sencillos y menos continuos. La Mano II se deleita con efectos especiales los cuales emplea en mayor cantidad que Fernando y que hace mucho más obvios. Emplea muchos brocados y también muchos terciopelos. En general, el claro-obscuro está subordinado a la textura, siendo el resultado más decorativo y menos plástico que en la obra de Fernando. De importancia particular es la habilidad del maestro para manejar superficies metálicas

Figure 9

obviously a pair, with the identical background setting and many of the same figures in the action. Hand III shows enough similarity to Hand II to suggest that he may be an imitator of that master, but is clearly a lesser Hand. Probably the most remarkable single hallmark in his drawing is the drawing of the mouth in the three-quarter-view, in which the lower lip is especially exaggerated and distorted (see Figure 8). It is for this reason that I suggest the name of "The Lip Painter" for him. In harmony with this peculiarity are other facial distortions. The axis of the mouth is often not aligned with that of the eyes, the whole face therefore being twisted. This is actually a fault of perspective, which fault is apparent elsewhere. The faces are very lachrymose, suggesting an imitation of Hand II's expressiveness, but the faces of Hand III are very repetitious. The Lip Painter draws hands better than Hand II, but less well than Fernando. The bodies have a Flemish Gothic stylization, rather languid and graceful and featuring a peculiar manner of setting the head upon the neck. They suggest a dependency upon the style of Roger van der Weyden.

como las que se ven en *La Cena*, y las armaduras que aparecen en abundancia en sus paneles. El énfasis en las texturas es pronunciado, pero en este caso, la forma también es fuerte. Hay muchos toques de luz, los cuales difieren de los de Fernando. Son más lineales y se asemejan a las marcas que aparecen en un zafiro en forma de estrella (véase la figura número 5).

Los paisajes del maestro muestran un alto sentido de profundidad, pero el espacio está organizado de manera diferente del de Fernando. Hay menos integración entre el primer plano y el fondo, notándose la ausencia de un plano intermedio. En el fondo, la recesión es por un sendero sinuoso más bien que por uno angular como el que usa Fernando. El plano del suelo del frente está estratificado con piedras redondas y lisas dispersas por todas partes. Los árboles son consistentemente del tipo que se muestra en la figura número 6. Son de un verde pálido con ligeras sombras en los grupos de plantas y sombras densas y cafés bajo los árboles completos. Los toques de luz en los grupos de plantas son lineales y con textura, de un amarillo muy pálido. Estos toques sirven para separar los grupos más de lo que lo hacen las sombras. Los contornos de los árboles por lo general son redondos. Cuando son grandes, los árboles muestran muchas ramas bifurcadas. Los edificios que aparecen en la distancia son muy diferentes de los de Fernando, siendo más sencillos y completamente españoles. Los interiores o los exteriores arquitectónicos vistos de cerca son todos góticos. La perspectiva en todos los casos es inferior a la de Fernando. Como en otros casos, la Mano II se deleita con efectos especiales con respecto a materiales de construcción. Nótese el detalle de la superficie de la tumba en *La Resurrección* y las columnas de vidrio en el *Jesús entre los Doctores*.

La Mano II nos es desconocida como personaje histórico. Fué él al que Bertaux ha caracterizado como el "Maître aux Armures," debido a las armaduras que son tan evidentes en varios paneles.[29] Gaya Nuño recientemente ha sugerido el nombre "Maestro de los Rostros Siniestros" por esta otra característica importante.[30] El único esfuerzo que se hace para identificar a este maestro con otro pintor es el de Gudiol cuando trata de identificarlo con el Maestro Bartolomé que pintó la *Virgen de la Leche* en el Prado.[31] La atribución es difícil de confirmar puesto que no hay un acuerdo general en cuanto a qué otras pinturas pueden atribuírse a este maestro. Vale la pena

Figure 10

Hand III paints draperies in a much rounder manner than any other Hand. They are fluid and soft, but less plastic and contain noticeably fewer folds. The master is not adept at special effects. There is little use of armor or brocade, which tends to be rather summary, flat, and decorative. This may be seen in *The Crucifixion*. In *The Deposition*, the two anterior figures supporting the Christ are surely by Fernando. They are so markedly different in every respect from all other figures in either panel as to be disturbing to the unity of the panel.

Hand III has a weak sense of space. His landscapes are arranged in planes, essentially in but two depths, with no bridge between them. The back plane is tipped up, an extreme form of vertical projection, and recession is thereby negated. The ground plane shows no strata, but includes some smooth round rocks. The trees are of two types. One consists of a group of regular cylindrical forms in dark green (see Figure 9). The highlight texturing consists of pale green spots arranged according to patterns. Occasionally, dark brown spots of the same pattern are added to the shadow side, providing for a limited chiaroscuro.

notar, no obstante, que varias fisonomías tienen una semejanza a las de la Virgen del Prado, en especial las de Adán y Eva en *La Creación de Eva*, la mujer que está de pie en *Jesús en Casa de Simón*, la mujer al extremo izquierdo en el *Camino del Calvario* y la Virgen de *Jesús entre los Doctores*.

El primer panel del retablo propio es el *Caos*. Esta obra está en varias etapas de completarse y muestra, en efecto, paso a paso la manera en que un miembro del atelier de Fernando ejecutaba su trabajo. El panel aparece en diagrama en la figura número 7, y las imágenes están descritas de acuerdo con la numeración por zonas. En la zona 10 puede verse un bosquejo sencillo de las figuras que es lo bastante completo para mostrar que el maestro tiene confianza y es competente en cuanto a su dibujo. Su línea es vital y muestra cómo colocar las cosas más importantes primero y luego completar los detalles que siguen. En las zonas 4 y 6 el dibujo está completo en detalle y el claro-obscuro se muestra por medio de rayas. Las zonas 5, 8 y 9 están pintadas parcialmente. El color es monocromo, al cual se ha añadido rayas blancas y detalles negros. La zona 11 está terminada. Hay todavía muchos toques lineales, pero todas las partes están fundidas de una manera más completa. La zona 7 muestra las más completas figuras angelicales; las menos lineales y las más fundidas. La zona 3 muestra una figura completa. El cortinaje es pleno y rico en claro-obscuro y el rostro está terminado cuidadosamente. En la zona 1, la faz de Dios también está terminada. El brocado, sin embargo, es plano y no está sombreado. Los ángeles son semejantes a los que se encuentran en las zonas 5, 8 y 9. Con excepción de la introducción anterior del policromo, este panel tal vez bosqueja todo el proceso de dibujo y de pintura del atelier de Fernando. Las figuras se conservan aquí monocromas por razones iconográficas y decorativas. Éste es el único panel que muestra una proyección geométricamente rígida y, con excepción del *Juicio Final*, es la única de proyección hierática.

Se reconoce la Mano III sólo en dos paneles, *La Crucifixión* y *La Deposición*, que iban aparentemente juntos con un escenario de fondo idéntico y muchas de las mismas figuras en la acción. La Mano III muestra bastante semejanza a la Mano II para sugerir que puede haber sido un imitador de ese maestro, pero es claramente un pintor de menor categoría. Probablemente la característica más importante en el dibujo es la manera de di-

Figure 11

The trees are usually arranged in groups. There are few foliage clumps and few branches. Trunks are small and insignificant, or absent. A second kind of tree, similar to a poplar, appears infrequently. In each panel the same townscape appears in the distance. The architecture is Gothic, not necessarily Flemish, but extremely fantastic. There is a resemblance to Fernando's architectural vistas, but the buildings do not lean. The perspective is far less adroit than either Fernando's or Hand II's.

Hand IV shows, in almost all respects, that he is a close imitator of Fernando, but he is in all cases less adept. His faces (see Figure 10) are similar to Fernando's, but frequently possess a peculiar smile, staring and bulging eyes, and frowning brows which rob them of Fernando's tranquility. Strabism is more noticeable than in Fernando's drawing, and in the profile face the eye is placed frontally. Hands are expressive, but linear and often distorted. Bodies are energetic but awkward. Draperies imitate Fernando's but are more linear. Drapery folds are less logical, more repetitious, and more parallel. It is particularly revealing to compare the turbans of each

bujar la boca en vista de tres cuartos, en la cual el labio inferior está especialmente exagerado y deformado (véase la figura número 8). Es por esta razón que sugiero se le dé el nombre de "El Pintor de Labios." En armonía con esta peculiaridad están otras distorsiones faciales. El eje de la boca con frecuencia no está alineado con el de los ojos, la fisonomía en su totalidad resultando torcida, por lo tanto. Esto es, en realidad, una falta de perspectiva, falta que es aparente en otros casos. Las caras son muy lagrimosas, sugiriendo una imitación de la expresividad de la Mano II, pero las caras de la Mano III son de mucha repetición. El Pintor de Labios dibuja manos mejor que la Mano II, pero no tan bien como Fernando. Los cuerpos tienen una estilización gótica flamenca, algo lánguidos y con gracia y mostrando una manera peculiar de colocar la cabeza sobre el cuello. Sugieren una influencia del estilo de Roger van der Weyden.

La Mano III pinta cortinajes de una manera más redondeada que cualquier otra Mano. Son flúidos y suaves pero menos plásticos y contienen menos dobleces. El maestro no es adepto en efectos especiales. Hay poco uso de armaduras o de brocado, lo cual tiende a hacerlos algo sumarios, planos y decorativos. Esto puede verse en *La Crucifixión*. En *La Deposición*, las dos figuras anteriores ayudando a Jesús son seguramente de Fernando. Son tan diferentes en todos respectos de las otras figuras en cualquiera de los dos paneles que llegan a interrumpir la unidad del panel.

El Artista III tiene un sentido débil del espacio. Sus paisajes están arreglados en planos esencialmente en dos profundidades sin ningún puente entre ambas. El plano del fondo está inclinado hacia arriba, una forma extrema de proyección vertical y por lo tanto se niega la recesión. El plano del suelo no muestra estrata alguna pero incluye algunas rocas redondas y lisas. Los árboles son de dos tipos. Uno consiste en un grupo de formas cilíndricas regulares de un verde obscuro (véase la figura número 9). La textura realzada consiste en manchas de un verde pálido arregladas de acuerdo con cierto orden. De cuando en cuando, algunas manchas de café obscuro del mismo patrón se añaden al lado de la sombra supliendo así un claro-obscuro limitado. Los árboles por lo general están arreglados en grupos. Hay muy pocos grupos de follaje y pocas ramas. Los troncos son pequeños e insignificantes o no existen. Una segunda clase de árboles, semejante al álamo, aparece con poca frecuencia. En cada panel la misma vista

Figure 12

master. Hand IV shows no particular interest in special effects, but is required by his subject to attempt armor. This is very crude and flat, with a characteristic highlight again (see Figure 11).

Hand IV is the weakest painter of all in handling space. He is responsible for only two panels, and in one, *The Healing of Blind Bartimaeus*, he escapes the whole issue by simply putting a wall across the back. In the other, *The Betrayal of Christ*, he effects no relationship between foreground and background and is totally unaware of scale, as the figures behind the hill to the left painfully indicate. His rocks are a crude imitation of Fernando's, while his trees resemble those of Hand III, but are more regular in form (see Figure 12). The background architecture is in a simple Gothic form again suggesting imitation of Fernando.

Although the faces and figures in these panels more closely resemble Fernando's than they do in Francisco's later works, in all other respects, Hand IV closely resembles the documented work of Francisco, but seems to be in an earlier stage of development. This, however, is not to be wondered at if Francisco was working under the close

de la ciudad aparece en la distancia. La arquitectura es gótica, no necesariamente flamenca, pero extremadamente fantástica. Hay una semejanza a las vistas arquitectónicas de Fernando pero los edificios no tienen una inclinación. La perspectiva es menos adecuada que la de Fernando o la del Pintor II.

La Mano IV muestra, en casi todos sus aspectos, que es un estrecho imitador de Fernando pero que en toda ocasión es menos hábil. Sus fisonomías son semejantes a las de Fernando, pero a menudo poseen una sonrisa peculiar, ojos fijos y saltones y entrecejos fruncidos que les restan la tranquilidad de las de Fernando (véase la figura número 10). El estrabismo se nota más que en los dibujos de Fernando, y en las caras de perfil se coloca al ojo frontalmente. Las manos son expresivas pero lineales y con frecuencia distorsionadas. Los cuerpos son enérgicos aunque torpes. Los cortinajes imitan a los de Fernando pero son más lineales. Los dobleces de los cortinajes son menos lógicos, con mayor repetición y más paralelos. Es revelador comparar los turbanes de cada maestro. El Pintor IV no muestra interés particular por los efectos especiales pero sus asuntos lo obligan a intentar pintar armaduras. Éstas son muy burdas y planas de nuevo con un toque de luz característico (véase la figura número 11).

La Mano IV es el pintor más débil de todos en el manejo del espacio. Es autor únicamente de dos paneles, y en uno, *La Curación del Ciego*, elude el problema sencillamente poniendo una pared en el fondo. En el otro, *El Prendimiento*, no establece relación alguna entre el primer plano y el fondo y parece no tener nociones de la escala como se indica claramente por medio de las figuras que están detrás de la colina a la izquierda. Sus rocas son una imitación bastante cruda de las de Fernando, en tanto que sus árboles se asemejan a los de la Mano III, pero son más regulares en forma (véase la figura número 12). La arquitectura del fondo es una forma gótica sencilla sugiriendo otra vez la imitación de Fernando.

Aunque las caras y las figuras de estos paneles se asemejan más estrechamente a las de Fernando de lo que se asemejan a las de Francisco en sus obras que vienen después, en todos otros respectos, la Mano IV se asemeja bastante a la obra documentada de Francisco pero parece estar en una etapa más temprana de desarrollo. Esto, sin embargo, no debe de sorprendernos si Francisco estaba trabajando bajo la supervisión estrecha de su pariente, y en particular si Fernando tuvo parte

supervision of his relative, and particularly if Fernando played any part in their production. That this was actually the case is suggested by the presence of bits of script, visible in several places under the paint, in the portrayal of the Arrest. Through the years, they have re-emerged. Professor Modestini agrees with my assumption that these were color notes, instructions placed there by the master for the guidance of the apprentice. Details of the armor, and especially of the shield, in this Arrest, are identical with similar details in *The Resurrection* at Trujillo, certainly the work of Fernando. It is, of course, more likely that, other than the master himself, a young apprenticed relative would be in a better position to imitate the Trujillo work than would any other assistant. Two panels at Arcenillas, painted in the same style as that of Hand IV, but with more maturity, are clearly memory copies of panels in our retablo. *The Agony in the Garden* at Arcenillas is almost the exact reverse of the layout of the same subject from Ciudad Rodrigo, and *The Changing of the Water into Wine* is even more nearly identical with the earlier work. I believe it to be quite probable, therefore, that Hand IV was the young Francisco Gallego working as apprentice or assistant to Fernando.

The panel of the *Water into Wine*, otherwise something of a puzzle, is explainable if the above assumption is correct. The room arrangement and the perspective are similar to Fernando's, as are the bodily attitudes and the excellence of the drawing of the hands. However, the paint quality, the linealism of the turbans, and the facial details are all Francisco's. The mingling of qualities could well be due to Fernando's having done the layout and much of the drawing, whereas Francisco subsequently did the actual painting.

The remaining panel, *The Entry into Jerusalem*, is an even greater puzzle, as the characteristics of three Hands seem to be distinguishable. Hand II appears to be evident in some of the faces, in the stiff hands, the quality of the draperies, and in several landscape details. Francisco seems to be evident in other of the faces, the awkwardness of the bodies, and in the style of the background architecture. There are also features unique to this panel, however. There is no clear ground plane, and there are no rocks on the ground. There is, partly for this reason, an ambiguous quality to the space. Further, the trees in the background are completely out of scale with the landscape. They are of a style not seen in any

alguna en su producción. Que éste debe haber sido el caso lo sugiere la presencia de trozos de escritura, visibles en algunos lugares debajo de la pintura, en *El Prendimiento*. Con los años, han vuelto a resurgir. El profesor Modestini está de acuerdo con mi teoría de que éstas eran notas de color, instrucciones colocadas por el maestro para guiar a los aprendices. Los detalles de la armadura, y en especial el escudo, en este *Prendimiento*, son idénticos a detalles semejantes en *La Resurrección* de Trujillo, ciertamente obra de Fernando. Es muy probable, por supuesto, que fuera del maestro mismo, un pariente que era aprendiz tendría mejor ocasión de imitar la obra de Trujillo que cualquier otro ayudante. Dos paneles en Arcenillas, pintados en el mismo estilo que la Mano IV, pero con mayor madurez, son claramente copias hechas de memoria de los paneles de nuestro retablo. *La Oración del Huerto* de Arcenillas es casi el reverso exacto del planeamiento del tema de Ciudad Rodrigo, y *Las Bodas de Caná* es aun más semejante a la obra anterior. Yo creo que es muy probable, por lo tanto, que la Mano IV fué el joven Francisco Gallego trabajando como aprendiz o ayudante de Fernando.

El panel de *Las Bodas de Caná*, que de otro modo se convierte en una incógnita, se explica si mi hipótesis ya expuesta es correcta. El arreglo del cuarto y la perspectiva son semejantes a los de Fernando, como lo son también las actitudes de los cuerpos y la excelencia del dibujo de las manos. Sin embargo, la calidad de la pintura, el linealismo de los turbanes y los detalles fisionómicos son todos de Francisco. La mezcla de cualidades muy bien pudo deberse a que Fernando ejecutó la mayor parte del dibujo, en tanto que Francisco subsecuentemente se encargó de la pintura en sí.

El panel restante, *La Entrada en Jerusalén*, es una incógnita aun mayor, puesto que parecen distinguirse las características de tres Manos. La Mano II parece ser evidente en algunas de las caras, en las manos tiesas, la calidad de los cortinajes y en varios detalles del paisaje. Francisco parece distinguirse en otras de las caras, la torpeza de los cuerpos y en el estilo del fondo arquitectónico. Este panel, no obstante, tiene también características únicas. No hay un plano definido del suelo y no hay rocas en el suelo. Hay, debido a esto, una cualidad ambigua del espacio. Además, los árboles del fondo están completamente fuera de escala con el paisaje. Son de un estilo que no se observa en ningún otro panel. Se asemejan a los

CHAPTER 5

other panel. They resemble the trees of Hand II in coloration and in texture, but they are always triangular in shape, with many small foliage clumps and much coarser textural indications. Scaffolding is rudimentary, and the general effect is more linear and flat. They are the poorest trees in any of the panels. These trees resemble very strongly those to be found in two of the panels of Pedro Bello now in the Diocesan Museum in Salamanca. I have concluded that the *Entry* represents some unhappy combination of the efforts of Hand II, Francisco Gallego, and Pedro Bello, the fifth Hand, resulting in the poorest panel of the entire retablo.

árboles de la Mano II en el colorido y en la textura, pero siempre son triangulares en forma con muchos grupos pequeños de follaje e indicaciones de textura más tosca. El andamiaje es rudimentario y el efecto general es más lineal y plano. Son los árboles peores de todos los paneles. Estos árboles se asemejan mucho a los que se encuentran en dos de los paneles de Pedro Bello que están ahora en el Museo Diocesano de Salamanca. He llegado a la conclusión de que *La Entrada* representa una combinación poco feliz de los esfuerzos de la Mano II, Francisco Gallego y Pedro Bello, la quinta Mano, resultando en el panel más débil de todo el retablo.

A BASIC CHRONOLOGY OF THE GALLEGOS' WORKS

CRONOLOGIA BASICA DE LAS OBRAS DE GALLEGO

CHAPTER 6

This essay is not intended to provide a complete evaluation of the works of the Gallego school, nor is it an effort to attribute all of the known works of the school to the various Hands associated with Gallego. It is necessary, however, to discuss some of the other works in order to place the retablo of Ciudad Rodrigo in its proper perspective. It is my conviction that our retablo is the climactic work of the Gallego atelier and, since that atelier is conceded to be the most important in the Hispano-Flemish era, my contention is, in effect, that our retablo is one of the great monuments of Spanish art. In order to demonstrate this assertion, it is necessary to relate the Ciudad

Este ensayo no trata de presentar una evaluación completa de las obras de la escuela de Gallego, ni es tampoco un esfuerzo por atribuír todas las obras conocidas de la escuela a los distintos pintores asociados con Gallego. Es necesario, sin embargo, discutir algunas de las otras obras para colocar el retablo de Ciudad Rodrigo dentro de su propia perspectiva. Estoy convencido de que nuestro retablo es la obra máxima del atelier de Gallego y, puesto que ese atelier se considera que es el más importante de la era hispano-flamenca, mi suposición es, en efecto, que nuestro retablo es uno de los grandes monumentos del arte español. Para demostrar esta aseveración, es necesario rela-

Rodrigo retablo to the several signed works of Fernando Gallego, and to the several large retablos that represent the production of the atelier in its period of greatest competence and productivity. All of these works I have examined myself. In them, I believe, it is possible to trace the development of Fernando Gallego as a major artist. His drawing improves vastly; there is a particularly notable improvement in the organization of landscape and interior spaces; his figures develop in gesture and proportion; and (evidence of an increasingly modern attitude) he uses less and less gold, finally restricting it to the backgrounds of the panels of the predellas. Simultaneously, it is possible to discover the presence of Francisco Gallego as apprentice, then as increasingly important colleague, and finally as independent master.

The earliest work, I suspect, is the *Pietà* from the Weibel Collection, now in the Prado.[1] It is signed: FERMALꝺ. GALLEGS. and must date from before 1470[2] or very nearly the same time as the Zamora Altarpiece. All the general characteristics of Fernando's style are already present, but in a manner stiffer, more archaic, and consequently earlier than in the Zamora work.

The Zamora retablo is a crucial work, as has been demonstrated above.[3] This signed work, the Retablo of San Ildefonso, may be found in the Chapel of San Ildefonso in the Cathedral of Zamora. Despite several authorities' contentions that it should be dated later, I must agree with Professor Gaya Nuño that it was probably commissioned in 1466 and finished around 1470. It exhibits the full Gallego style, but it is clearly an early work and shows to a greater extent than the later ones, Fernando's dependence upon the styles of Dirk Bouts and Conrad Witz. There are still some Gothicisms in this work, as for instance the ceiling ribs in otherwise Renaissance interors.

A third work, a triptych from the Chapel of St. Anthony in the New Cathedral of Salamanca, is now in the Diocesan Museum. It bears a clear signature: FERNĀDVS GALECVS and shows the Virgin enthroned with the Child and flanked by St. Anthony and St. Christopher on the wings.[4] In these three panels, Fernando has come to full maturity, and from this time forth, although improvement continues, there is a tendency toward formula imposed, no doubt, by increased volume of production.[5]

It cannot have been long after the completion of the Salamanca triptych that Fernando received his commission to create the retablo for the

cionar al retablo de Ciudad Rodrigo con las varias obras firmadas por Fernando Gallego, y a los varios retablos grandes que representan la producción del atelier en su período de mayor competencia y productividad. Yo he examinado en persona todas estas obras. En ellas, creo que es posible trazar el desarrollo de Fernando Gallego como artista principal. Su manera de dibujar va mejorando vastamente; hay un mejoramiento particularmente notable en la organización del paisaje y los espacios interiores; sus figuras se mejoran en gestos y proporciones; y (evidencia de una actitud más y más moderna) usa menos y menos oro, finalmente restringiéndolo a los fondos de los paneles de las predelas. Simultáneamente, es posible descubrir la presencia de Francisco Gallego como aprendiz, más tarde como un colega más y más importante y, finalmente, como maestro independiente.

La obra más antigua, supongo, es la *Pietà* de la Colección Weibel, que se encuentra ahora en el Prado.[1] Está firmada: FERMALꝺ. GALLEGS. y debe datar de antes de 1470[2] o cerca del mismo tiempo que el retablo de Zamora. Todas las características generales del estilo de Fernando ya están presentes pero de una manera más formal, más arcaica y, consecuentemente, anteriores a la obra de Zamora.

El retablo de Zamora es una obra significativa como ya se ha demostrado anteriormente.[3] Esta obra firmada, el Retablo de San Ildefonso, se encuentra en la Capilla de San Ildefonso en la Catedral de Zamora. A pesar de lo que dicen varios críticos de que debe asignársele una fecha más reciente, yo estoy de acuerdo con el profesor Gaya Nuño de que probablemente fué comisionada en 1466 y terminada cerca de 1470. Muestra el estilo completo de Gallego, pero es claramente una obra primeriza y muestra hasta un punto mayor que obras que vienen después la dependencia de Fernando de los estilos de Dirk Bouts y Conrad Witz. Hay aun algunos goticismos en esta obra, como por ejemplo, las vigas del techo en interiores que son por lo demás renacentistas.

Una tercera obra, un tríptico de la Capilla de San Antonio en la Nueva Catedral de Salamanca, está ahora en el Museo Diocesano. Tiene una firma muy clara: FERNĀDVS GALECVS, y muestra a la Virgen sentada en el trono con el Niño y San Antonio y San Cristóbal a los lados.[4] En estos tres paneles, Fernando ha llegado a su plena madurez, y de aquí en adelante, aunque continúa mejorando, hay una tendencia hacia el

Church of Santa Maria la Mayor in Trujillo. This work, *in situ* today, must date from about 1480.[6] The panels are about one-third the size of those in the retablo of Ciudad Rodrigo and are in excellent condition, having been cleaned some four years ago. Excepting the continued use of Gothic ribwork in otherwise Renaissance interiors, every quality of Fernando's exhibited at Ciudad Rodrigo is here in full force. His figures are better than any earlier ones, the vegetation more varied than in any other work, his trees, shrubs, and grasses more complex. This work is, in fact, Fernando's crowning achievement insofar as it is his largest solo accomplishment, for although Francisco makes his first appearance here, it is clearly a very minor role that he plays.

It would have been impossible for a single man to do a work much larger than the Trujillo Altarpiece, and the Retablo of Ciudad Rodrigo was originally three or four times as large. It is for this reason, therefore, that the various subsidiary Hands were invited to partake in the work. Nonetheless, Fernando's figures are here improved over the Trujillo work, and the whole feeling of his panels is more monumental. At the same time, he is evidently seeking formulas for some of his problems and, although there is no loss of space manipulation in the landscapes, there is a tendency for the vegetation to be rendered in a more summary way, excepting only in *The Agony in the Garden*. All in all, Fernando shows himself at his very best here. His four assistants have been mentioned above. Of them, the only one we can trace with any certainty is Francisco, who appears here more importantly than at Trujillo, but still in a distinctly minor capacity.

Probably before 1490, the Gallegos completed the Retablo of San Lorenzo for the Church of San Lorenzo el Real, in Toro. This work, *in situ* except for the central panel of the Savior which is in the Prado,[7] offers some problems.[8] Variously attributed to Fernando[9] and to Francisco,[10] it has been called an early and a late work. The panels of the predella are the best, consisting of saints in the same paired poses as those from Ciudad Rodrigo. They use the identical gold backgrounds. However, they are coarser and less expressive portraits. The interiors are more complex than in any previous work, and the perspective is especially fine. However, the harsher hair texture, the bigger eyes, and the manner of rendering drapery, brocades (very simply done), armor, and trees all resemble Francisco's work in the earlier

formulismo impuesto, sin duda, por un mayor y mayor volumen de producción.[3]

No puede haber sido mucho después de completar el tríptico de Salamanca que Fernando recibió su comisión para crear el retablo para la iglesia Santa María la Mayor en Trujillo. Esta obra, *in situ* hoy, debe datar de cerca de 1480.[6] Los paneles son como una tercera parte del tamaño de los del retablo de Ciudad Rodrigo y están en excelentes condiciones, habiendo sido limpiados hace unos cuatro años. Con excepción del uso seguido de vigas góticas en los interiores que son renacentistas, todas las cualidades que Fernando exhibe en Ciudad Rodrigo están aquí en plena fuerza. Sus figuras son mejores que cualquiera de las anteriores, la vegetación más variada que en cualquier otra obra, sus árboles, arbustos y pastos más complejos. Esta obra es, en efecto, el logro máximo de Fernando en lo que se refiere a su mayor obra por sí mismo, porque aunque Francisco hace su primera aparición aquí, es claramente un papel sin importancia el que hace.

Hubiera sido imposible para un solo hombre llevar a cabo una obra más grande que el retablo de Trujillo, y el retablo de Ciudad Rodrigo fué originalmente tres o cuatro veces mayor. Es por esta razón, por lo tanto, por lo que los varios pintores secundarios fueron invitados a participar en esta obra. Sin embargo, las figuras de Fernando están aquí mejoradas con respecto a la obra de Trujillo, y el sentimiento total de sus paneles es más monumental. Al mismo tiempo, evidentemente está buscando fórmulas para algunos de sus problemas y, aunque no había pérdida de manejo del espacio en los paisajes, hay una tendencia a representar la vegetación de una manera más sumaria, excepto únicamente en *La Oración del Huerto*. Teniendo todo esto en consideración, Fernando está aquí en su apogeo. Ya hemos mencionado anteriormente a sus cuatro ayudantes. De ellos, el único que podemos identificar con alguna certidumbre es Francisco, que aparece aquí de una manera más importante que en Trujillo, pero todavía en una capacidad esencialmente menor.

Probablemente antes de 1490, los Gallegos completaron el Retablo de San Lorenzo para la Iglesia de San Lorenzo el Real en Toro. Esta obra, *in situ* excepto el panel central del Salvador que está en el Prado,[7] ofrece varios problemas.[8] Atribuído algunas veces a Fernando[9] o a Francisco,[10] se le ha llamado también una obra primeriza y una obra madura. Los paneles de la predela son los mejores consistiendo en santos en las mismas

retablo. I believe the solution to the stylistic problem lies in the assumption that Fernando did most of the drawing, which would account for the excellent layouts, the improved perspective, and the correct proportioning of the figures. Thereafter, Francisco must have done most of the painting, and so was responsible for the specific textures and the coarser paint quality. It is unnecessary, therefore, to assume that Francisco had become a better perspective draughtsman than Fernando or that his figure drawing had improved so markedly. Further, although Fernando himself had improved in several respects, his role had been reduced to that of supervisor while his younger relative had become the major executant. The decreased actual activity of Fernando and the coarseness that resulted leave the retablo of Ciudad Rodrigo as his major work. The *Christ Blessing* in the Prado alone seems to have been entirely from Fernando's hand, which is explainable in that it was originally the central, largest, and most important single panel of the entire work. This panel, it must be admitted, is terrific.

The last major work associated with the Gallegos is the Retablo Mayor done for the Cathedral of Zamora, probably between 1496 and 1506.[11] The retablo has been dismantled. Two panels are now in the Zamora Cathedral Museum. One is in a private collection in Madrid, and fifteen hang on the walls of the church at Arcenillas, a pueblo close to Zamora. These panels exhibit improved landscape and perspective organization, which we may lay to Fernando's influence, although he seems to have withdrawn to an almost purely supervisory capacity. In all other respects, Francisco's style asserts itself. His figures are improved, but are not as good as Fernando's, and the same may be said for very nearly every detail. This is Fernando's final appearance, and Francisco's finest work.

Francisco, as related above, is specifically mentioned in Salmantine documents of 1500 and 1501 as the author of the Santa Catalina Altarpiece, now in the Diocesan Museum. Two other panels in the same museum, a *Road to Calvary* and a *Pietà*, done to complete a retablo by Nicolás Florentino, are also attributed to Francisco.[12] These works were probably done very close in time to the work at Arcenillas, but an exact chronology would be difficult to establish.

Fernando's output was considerable, in consideration of his meticulous style and in comparison with other artists of his day. There is not

poses en pares que los de Ciudad Rodrigo. Usan los mismos fondos dorados. No obstante, son retratos más toscos y menos expresivos. Los interiores son más complejos que en ninguna obra anterior, y la perspectiva es bastante fina. Sin embargo, la textura más burda del cabello, los ojos más grandes y la manera de representar los cortinajes, brocados (ejecutados de una manera muy sencilla), armadura[5] y árboles, todo esto se asemeja a la obra de Francisco en el retablo anterior. Creo que la solución a este problema estilístico está en asumir que Fernando ejecutó la mayor parte del dibujo, lo cual explicaría las excelentes proyecciones, la perspectiva mejorada y las proporciones correctas de las figuras. De aquí en adelante, Francisco debe haber ejecutado la mayor parte de la pintura, y fué responsable entonces de las texturas específicas y la cualidad más tosca de la pintura. No es necesario, por lo tanto, asumir que Francisco se había convertido en un mejor dibujante de perspectiva que Fernando o que el dibujo de sus figuras había mejorado de una manera tan marcada. Además, aunque Fernando mismo había mejorado en varios aspectos, su papel se había reducido al de supervisor en tanto que su pariente más joven se había convertido en el ejecutante mayor. La decreciente participación activa de Fernando y la tosquedad que resultó deja al Retablo de Ciudad Rodrigo como su obra máxima. *La Bendición de Jesús* en el Prado parece haber sido hecha completamente por la mano de Fernando, lo cual se explica puesto que era originalmente el panel central más grande y más importante de toda la obra. Hay que reconocer que este panel es de suma transcendencia.

La última obra importante asociada con los Gallegos es el Retablo Mayor pintado para la catedral de Zamora, probablemente entre 1496 y 1506.[11] El retablo ha sido desmantelado. Dos paneles están ahora en el Museo de la Catedral de Zamora, uno está en una colección particular en Madrid, y quince de ellos cuelgan en las paredes de la iglesia de Arcenillas, un pueblo cerca de Zamora. Estos paneles muestran paisajes mejorados y organización de perspectiva, que podemos atribuir a la influencia de Fernando, aunque parece haberse retirado a una actitud puramente de supervisor. En todos los otros respectos, se impone el estilo de Francisco. Sus figuras están mejoradas, pero no son tan buenas como las de Fernando, y lo mismo puede decirse de casi todos los detalles. Esta es la apariencia final de Fernando y la mejor obra de Francisco.

room here to investigate all the works attributed to Fernando but it is worthwhile, I believe, to list them with a few comments. Of greatest interest, perhaps, is a panel described by Gaya Nuño[13] and reported to have been on the market in Madrid, although its present location is unknown. It is of St. Paul, and the portrait is of identical size and pose, and is surrounded by the identical gold background as are the saints in the Ciudad Rodrigo predella. The suggestion is, of course, that it may be one-half of the only suspected surviving panel of the retablo not now in residence at Tucson.

There is a *Mass of St. Gregory* in the Gudiol Collection in Barcelona, and another, originally from Bonilla de la Sierra (Avila), in the Basel Museum.

A *Calvary*, from the Weibel Collection, is now in the Prado in Madrid.

Two panels from the church of Cantalpino (Salamanca), represent the *Virgin and Child*, and *St. Bartholomew with the Devil at his Feet*. Their present location is unknown. A *St. Peter* from the same church is now in the collection of Alberto J. Pani in Mexico City.

There are now in the Diocesan Museum in Salamanca a *Nativity* and a *Flagellation* formerly in the church of Campos de Peñaranda (Salamanca). Also now in the museum is a *Coronation of the Virgin* from the church of Villaflores (Salamanca). A *St. John the Baptist with a Donor* from Villaflores has been very much restored. An *Epiphany*, very similar to these panels but not certainly from Villaflores, is now in the Toledo, Ohio, Museum.

There is a *St. Augustine*, of unknown provenance, in the Museum of Fine Arts in Dijon.

Fernando made only one essay at a great wall painting when he decorated the vault of the library of the University of Salamanca. This work has been removed from the vault and restored by the Gudiol Brothers, but is still on display at the University.

CHAPTER 6

There were three panels of pairs of saints in the Church of SS Cosme and Damián in Burgos.[14] Two of these panels have entered a private collection in Bilbao. I cannot locate the third.

Less strong attributions associate other works with Fernando. There is an *Adoration of the Magi*, formerly in the Pacully Collection, Paris, and reported by Mayer to be in the Kleinberger Mansion in New York.[15]

Francisco, como ya se mencionó arriba, se menciona específicamente en los documentos salmantinos de 1500 y 1501 como autor del Retablo de Santa Catalina, ahora en el Museo Diocesano. Dos otros paneles del mismo museo, un *Camino del Calvario* y una *Pietà*, ejecutados para completar un retablo de Nicolás Florentino, también se atribuyen a Francisco.[12] Estas obras probablemente se pintaron muy cerca de la ejecución de la obra de Arcenillas, pero sería difícil establecer una cronología exacta.

La producción de Fernando fué considerable, teniendo en cuenta su estilo meticuloso y en comparación con otros artistas de sus tiempos. No contamos con suficiente espacio para investigar todas las obras atribuídas a Fernando pero vale la pena, según creo, dar una lista de ellas con algunos comentarios. De mayor interés, tal vez, es un panel descrito por Gaya Nuño[13] y que se dice que estuvo en el mercado de Madrid aunque se desconoce su paradero actual. Es de San Pablo, y el retrato es de tamaño y pose idénticos, y está rodeado por un fondo idéntico de oro al que tienen los santos de la predela de Ciudad Rodrigo. Se ha sugerido, por supuesto, que puede ser la mitad del único panel superviviente del retablo que no está ahora en Tucson.

Hay una *Misa de San Gregorio* en la Colección Gudiol en Barcelona, y otra, originalmente de Bonilla de la Sierra (Ávila), en el Museo de Basilea.

Un *Calvario* de la Colección Weibel, se encuentra ahora en el Prado en Madrid.

Dos paneles de la iglesia de Cantalpino (Salamanca), representan a *La Virgen y el Niño y San Bartolomé con el Diablo a sus Pies*. Se ignora su paradero actual. Un *San Pedro* de la misma iglesia está ahora en la colección de Alberto J. Pani en la ciudad de México.

Hay ahora en el Museo Diocesano de Salamanca una *Natividad* y una *Flagelación* que se encontraban antes en la iglesia de Campos de Peñaranda (Salamanca). También existe en el museo una *Coronación de la Virgen* de la iglesia de Villaflores (Salamanca). Un *San Juan Bautista con un Donante* de Villaflores ha sido restaurado en gran parte. Una *Epifanía*, muy semejante a estos paneles pero no ciertamente de Villaflores, está ahora en el Museo de Toledo, Ohio.

Hay un *San Agustín*, de origen desconocido, en el Museo de Bellas Artes en Dijon.

Fernando hizo sólo un ensayo de pintar un gran mural cuando decoró la bóveda de la biblio-

There is a *St. Paul Visiting St. Peter in Jail* in the Merelo Collection in Barcelona which Gudiol gave to Maestro Bartolomé to support his contention that that master worked on the Ciudad Rodrigo panels. Gaya Nuño, on the other hand, feels that this work is closer to Fernando himself and bears no resemblance to Bartolomé's *Virgin de la Leche* in the Prado.

There is a *Crowning with Thorns* in the Greco House in Toledo, given by Post[16] to Fernando. Gaya Nuño disagrees,[17] feeling that the faces of the tormentors are quite unlike Fernando's. I agree with Gaya Nuño about the tormentors, although I find some similarity to Fernando in the figure of the Christ. Post also attributes to Fernando or a follower a panel of *SS Bartholomew and James* in the parish church of Cabeza del Buey. In my mind, it is certainly not by Fernando.

Mayer has suggested that a panel of the Legend of St. Michael was done by the Master of the Ciudad Rodrigo Retablo, who he denies is Fernando Gallego.[18] Gaya Nuño mentions both panels,[19] one of which is in the possession of French and Company, New York; the other in the Museum of Buenos Aires; which, together with a *St. Bernard of Siena* in the Philadelphia Museum, he insists are later works of Fernando's school.

Because of the persistence of credence in Palomino's statement that Fernando died in 1550 (and it is within the realms of remotest possibility that he could have lived to be 105) Post has sought possible very late works. He mentions the decoration of the *Trascoro*[20] of the Cathedral of Santo Domingo de la Calzada, referred to in documents as by a painter with the surname Gallego and dating from 1531-32. Several conjectures present themselves: Did Fernando paint these in his old age? Were they done by the younger Francisco? Or was there an even younger Gallego?[21]

CHAPTER 6

There is one final work, in the Church of Santa Maria la Mayor in Toro. It is signed "Fernandus Gallecus," but is clearly a sixteenth century work in an Italianate style. The signature is certainly a forgery.

FERИADº. GALLEGS.

FERИADº.. GALECVS.

teca de la Universidad de Salamanca. Esta obra ha sido removida de la bóveda y restaurada por los hermanos Gudiol, pero todavía está en exhibición en la Universidad.

Hay tres paneles más de pares de santos en la Iglesia de Santos Cosme y Damián en Burgos.[14] Dos de estos paneles han pasado a una colección particular en Bilbao. No he podido localizar el tercero.

Otras atribuciones menores asocian a otras obras con Fernando. Hay una *Adoración de los Reyes*, antiguamente en la Colección Pacully de París, y mencionada por Mayer como parte de la Mansión Kleinberger en Nueva York.[15]

Hay un *San Pablo visitando a San Pedro en la Cárcel* en la Colección Merelo de Barcelona que Gudiol atribuyó al Maestro Bartolomé para apoyar su hipótesis que ese maestro trabajó en los paneles de Ciudad Rodrigo. Gaya Nuño, por otra parte, cree que esta obra se acerca más a Fernando mismo y no tiene semejanza con la *Virgen de la Leche* de Bartolomé en el Prado.

Hay una *Corona de Espinas* en la casa del Greco en Toledo, atribuída por Post[16] a Fernando. Gaya Nuño no está de acuerdo,[17] creyendo que las caras de los atormentadores no se parecen a las de Fernando. Yo estoy de acuerdo con Gaya Nuño en cuanto a los atormentadores, aunque encuentro alguna semejanza a Fernando con la figura de Jesús. Post también atribuye a Fernando o a un discípulo suyo un panel de *Santos Bartolomé y Santiago* en la iglesia parroquial de Cabeza del Buey. En mi opinión, estoy seguro que no es de Fernando.

Mayer ha sugerido que un panel de la Leyenda de San Miguel fué ejecutado por el Maestro del Retablo de Ciudad Rodrigo, que niega que sea Fernando Gallego.[18] Gaya Nuño menciona ambos paneles,[19] uno de los cuales está en manos de French and Company de Nueva York; el otro en el Museo de Buenos Aires; que junto con *San Bernardo de Siena* en el Museo de Filadelfia, insiste son obras tardías de la escuela de Fernando.

Debido a que persiste la opinión de que, según dijo Palomino, Fernando murió en 1550 (y todavía existe la posibilidad muy remota de que pudo haber vivido hasta la edad de 105 años) Post ha buscado la posibilidad de obras muy tardías. Menciona el decorado del *Trascoro*[20] de la Catedral de Santo Domingo de la Calzada, que aparece en documentos como de un pintor de apellido Gallego y datando de 1531–32. Se presentan varias conjeturas: ¿Pintó Fernando estas obras en su vejez?

¿Las ejecutó Francisco que era más joven? ¿O existió un tal Gallego aun más joven?[21]

Hay una obra final en la Iglesia de Santa María la Mayor en Toro. Está firmada "Fernandus Gallecus," pero es claramente una obra del Siglo XVI a la manera italiana. La firma seguramente está falsificada.

THE PHYSICAL HISTORY OF THE RETABLO OF CIUDAD RODRIGO

LA HISTORIA FISICA DEL RETABLO DE CIUDAD RODRIGO

The retablo originated, as has been indicated, in the Cathedral of Ciudad Rodrigo. The assumption is that, as it stands, it is not complete. This would seem evident when it is considered that the only Old Testament panel in the group shows *The Creation of Eve*—an odd circumstance were it truly unique. Brockwell[1] informs us that such retablos frequently ran to thirty panels, but maintains that a retablo such as ours could not be reconstructed, as they were usually heaped up in sections, not in any particular order, and according to no typical arrangement. However, taking the size of the actual surviving parts into consideration (each of the predella panels measures c. 0.81 x c. 1.09 m; the others c. 1.54 x c. 1.09 m), together with the framework necessary to support it, he estimates that the height of our work, *in situ*, was probably fifty to sixty feet, and its width twenty-five feet.[2]

Gaya Nuño has more recently come into possession of further evidence as to the great size of the retablo. He reports[3] the existence of an anonymous eighteenth-century picture in the cathedral itself, which reproduces the interior as the setting for the miracle of the resurrection of Bishop Pedro Díaz. The retablo, visible in the background, confirms that its height considerably exceeded the imposts of the Capilla Mayor. From this representation, and from comparative

El retablo se originó, como ya se ha indicado, en la Catedral de Ciudad Rodrigo. Se asume que, tal como está, no está completo. Esto parece evidente cuando se considera que el único panel del Viejo Testamento del grupo muestra la *Creación de Eva*—una circunstancia extraña y única. Brockwell[1] nos informa que los retablos de esta clase con frecuencia tenían hasta treinta paneles, pero sostiene que un retablo tal como el nuestro no pudo haber sido reconstruído porque con frecuencia se agrupaban por secciones, no en un orden en particular, y sin tener en cuenta ningún arreglo típico. Sin embargo, tomando en consideración el tamaño de las partes que sobreviven en la actualidad (cada uno de los paneles de la predela mide 81 centímetros por 1.09 metros; los otros 1.54 metros por 1.09 metros), junto con la armazón necesaria para sostenerlo, él calcula que la altura de nuestra obra, *in situ*, fué probablemente de cincuenta a sesenta pies, con una anchura de veinticinco pies.[2]

Gaya Nuño más recientemente llegó a descubrir nuevos datos en cuanto al gran tamaño del retablo. Menciona[3] la existencia de un cuadro anónimo del Siglo XVIII en la catedral misma que reproduce el interior como el escenario del milagro de la resurrección del Obispo Pedro Díaz. El retablo, visible en el fondo, confirma que su altura excedía con mucho a los pilares interiores de la Capilla

measurements of the apse and the panels, Professor Gaya Nuño concluded that a likely arrangement would have been one of six rows by seven columns, providing forty-one panels plus space for the customary niche for a statue of the Virgin, over seven panels of a predella depicting the twelve Apostles and the Savior. The relative completeness of the iconography of the retablos at Trujillo and Toro and the picture series at Arcenillas are offered as further confirmation of his theory.

Gaya Nuño then attempts to determine the subjects of the missing panels.[4] The *St. Paul* which appeared on the Madrid market, being identical in every way to the saints in the surviving predella panels, could be half of another panel of two saints. He therefore suggests that the other panels of the predella showed The Savior, SS Paul and Matthew, SS Luke and James, and SS Jude and Philip. The missing larger panels he supposes to have been of the Creation of Adam, the Original Sin, the Expulsion from Eden, the Visitation, the Meeting at the Golden Gate, the Birth of the Virgin, the Betrothal of the Virgin, the Annunciation, the Birth of Christ, the Annunciation to the Shepherds, the Adoration of the Shepherds, the Epiphany, the Flight into Egypt, the Rest on the Flight, the Baptism of Christ, the miraculous Draught of Fishes, the Flagellation, and the Pentecost.

I have visited the cathedral, and can warrant that Professor Gaya Nuño's suggestion is a plausible one physically. Iconographically, it also seems highly likely, as he supposes the missing panels to be of subjects entirely standard in altarpieces or narrative series since early medieval times. I believe that the completeness of the story in the surviving panels also supports his contention.

We have no certain proof of the date of the production of the retablo. No direct documentation is known to have survived the neglect and rapine of the centuries. Early writers have, however, alluded to an inscription on the frame that stated that the retablo was made at the order of the dean and chapter of the church in 1480 and that it was completed in 1488, during the administration of the Bishop Don Diego de Mura.[5]

The retablo was apparently in bad shape toward the end of the eighteenth century. On November 12, 1781, Juan Venta Volet, a French native of Logroño, offered to retouch and clean it, but the chapter rejected the offer, as it was probably already considering replacing the paint-

Mayor. De esta representación y de las medidas comparativas del ábside y de los paneles, el profesor Gaya Nuño concluyó que un arreglo posible pudo haber sido uno de seis hileras de siete columnas resultando cuarenta y un paneles además de espacio para el nicho acostumbrado para una estatua de la Virgen, amén de siete paneles de una predela describiendo a los doce Apóstoles y al Salvador. La iconografía relativamente completa de los retablos de Trujillo y Toro y la serie de cuadros de Arcenillas se ofrecen como mayor confirmación de su teoría.

Después Gaya Nuño trata de determinar los asuntos de los paneles que faltan.[4] El *San Pablo* que apareció en el mercado de Madrid, siendo idéntico en todo a los santos en los paneles que sobreviven de la predela, pudieron haber sido la mitad de otro panel de dos santos. Por lo tanto, él sugiere que los otros paneles de la predela muestran al Salvador, San Pablo y San Mateo, San Lucas y Santiago, y San Judas y San Felipe. Supone que los paneles más grandes que faltan deben haber sido de la Creación de Adán, el Pecado Original, la Expulsión del Paraíso, la Visitación, el Abrazo en la Puerta Dorada, el Nacimiento de la Virgen, los Desposorios, la Anunciación, el Nacimiento de Jesús, la Anunciación a los Pastores, la Adoración de los Pastores, la Epifanía, la Huída a Egipto, el Descanso en la Huída, el Bautizo de Cristo, el Cambio Milagroso de los Peces, la Flagelación y el Pentecostés.

Yo he visitado la catedral y puedo garantizar que la sugestión del profesor Gaya Nuño es plausible desde el punto de vista físico. Iconográficamente, también parece altamente posible, puesto que supone que los paneles que faltan son de asuntos comunes a los retablos o las series narrativas desde los primeros tiempos medioevales. Creo que al completarse la narración en los paneles que sobreviven también apoya su hipótesis.

No tenemos prueba cierta de la fecha de la producción del retablo. No se conoce ningún documento que haya sobrevivido al olvido y a la rapiña de los siglos. Los escritores antiguos, no obstante, han aludido a una inscripción en el guardapolvo que decía que el retablo se hizo por orden del deán y capítulo de la iglesia en 1480 y que se completó en 1488 durante la administración del Obispo Don Diego de Mura.[5]

Aparentemente el retablo estaba en malas condiciones hacia fines del Siglo XVIII. El 12 de noviembre de 1781, Juan Venta Volet, un francés vecino de Logroño, se ofreció a retocarlo y lim-

ings.[6] Ponz, travelling through the area in 1783, was told by Don Ramón Pascual Díez, the canon and warden of the church, that "the chapter is thinking of making a new and dignified *retablo mayor* and will store the paintings in an appropriate place."[7]

Ciudad Rodrigo was a fortified city near the Portuguese frontier. The cathedral, mostly twelfth century Romanesque, stands at the ramparts. During the Peninsular War[8] the city was taken by Marabal Massena on April 22, 1810, after a three weeks siege and heavy bombardment. The cathedral and its contents suffered in the shelling.[9] In January 1811, the Duke of Wellington led the English army in another siege. The English guns breached the walls in two places, one of which was close to the cathedral. When the cathedral was occupied by French riflemen, it came under British fire. The west portal was blown in and artillery fire penetrated the length of the structure and inflicted great damage upon the retablo and the high altar before it. They were dismantled upon the order of the dean and the chapter, and the framing was probably burnt at this time to recover the gold.[10] In 1812, as a result of these vicissitudes, the number of panels was reduced to twenty-nine.[11] These were known, on September 1, 1819, to be in the cloister, for at this time the chapter "agreed to clean the excellent paintings which previously had been in the *altar mayor* and today may be found in the cloister, deteriorating more every day."

On June 26, 1823, because of the continuing degeneration of the pictures, the Director of the Academy of Valladolid proposed to buy some panels, but the chapter declined. Later, on September 6, 1865, the Commission of Monuments of Salamanca offered to take the panels and restore them, leaving their title with the cathedral. The chapter refused, but did agree to store the pictures in the antechamber of the chapter house.

On January 1, 1877, a private offer was made to buy the pictures for 340 reales per panel. There was much haggling, the chapter demanding 800 reales. The Bishop of Salamanca, Martínez Izquierdo, ordered that they be evaluated. They were finally sold for 30,000 reales, the church of Ciudad Rodrigo investing the money in treasury bonds.[12] In 1879, the pictures were removed to Madrid. In the same year the surviving panels, now only twenty-six, were sent to England where they were bought, in 1882, by

piarlo, pero el capítulo rehusó su oferta, porque tal vez ya estaba considerando substituir las pinturas.[6] Ponz al viajar por esta región en 1783, dice que don Ramón Pascual Diez, el canónigo y guardián de la capilla, le comunicó que "el cabildo piensa hacer un nuevo y serio retablo mayor y guardará en paraje competente sus pinturas."[7]

Ciudad Rodrigo era una ciudad fortificada cerca de la frontera portuguesa. La catedral, principalmente de estilo romanesco del Siglo XII, está cerca de las murallas. Durante la Guerra de Independencia[8] la ciudad fué tomada por el Mariscal Mazzena el 22 de abril de 1810, después de un sitio de tres semanas y de fuerte bombardeo. La catedral y su contenido sufrieron durante el bombardeo.[9] En enero de 1811, el Duque de Wellington encabezó al ejército inglés en otro sitio. Los cañones ingleses atravesaron las murallas en dos lugares, uno de los cuales estaba cerca de la catedral. Cuando la catedral fué ocupada por los rifleros franceses, sufrió el fuego de los ingleses. El portal del oeste fué bombardeado y el fuego de artillería penetró a lo largo de la estructura y causó gran daño al retablo y al altar mayor delante de él. Fueron desmantelados por orden del deán y capítulo y tal vez se quemó el marco entonces para recobrar el oro.[10] En 1812, como resultado de estas vicisitudes, el número de paneles se redujo a 29.[11] El 1° de septiembre de 1819 se sabía que estaban en el claustro, porque entonces el capítulo "acuerda limpiar las excelentes pinturas que antiguamente estaban en el altar mayor y hoy se encuentran en el claustro, echándose a perder cada día más."

El 26 de junio de 1823 debido al deterioro continuo de los cuadros, el Director de la Academia de Valladolid propuso comprar unos paneles pero el capítulo no aceptó. Más tarde, el 6 de septiembre de 1865, la Comisión de Monumentos de Salamanca ofreció tomar los paneles y restaurarlos, dejando su posesión a la catedral. El capítulo no aceptó, pero sí estuvo de acuerdo en almacenar los cuadros en la antecámara de la casa del capítulo.

El primero de enero de 1877 un particular ofreció comprar los cuadros por 340 reales por panel. Hubo muchas discusiones, y el capítulo pidió 800 reales. El Obispo de Salamanca, Martínez Izquierdo, ordenó que se calculara su valor. Por fin se vendieron por 30.000 reales, y la iglesia de Ciudad Rodrigo invirtió el dinero en bonos del tesoro.[21] En 1879, se llevaron los cuadros a Madrid. El mismo año los paneles supervivientes, que ahora eran sólo 26, fueron mandados a Inglaterra donde

Sir Francis Cook for £1,330.[13] The importance of the transaction is indicated by Bertaux[14] when he states that Sir Francis was "the first amateur who had acquired a Castillian work of the fifteenth century . . ." while another catalogue[15] flatly states that "they constitute the most important retablo outside of Spain."

The paintings came into the possession of the Samuel H. Kress Foundation in 1954, and were turned over to Professor Mario Modestini for restoration. This work took several years and, while it was going on, at the celebration of the formal presentation of the Samuel H. Kress Collection to the University of Arizona on March 3, 1957, Mr. Rush H. Kress announced the gift of the paintings to the University.

Professor Modestini described the restoration process to me. The paintings were originally done on pine panels. The wood was not good: it had many knots and the pieces were not well-joined. The grain was uneven. The panels were covered with linen canvas and this, in turn, was gessoed. The medium was an emulsion of oil and an unknown ingredient.

In addition to the surface damage done by Wellington's artillery, the panels had worked harm upon the surface from behind. The knots had worked loose and the boards had separated, causing cracks to appear upon the surface.

Restoration of the backs consisted first in planing down the panels and cradling them. The cradling consists of vertical strips adhered to the panels over the cracks, seams, etc., as the grain of the panels runs vertically. Slots are left in these strips through which horizontal strips are inserted. These are allowed to slide freely, but reinforce the panels horizontally. The cradling is, therefore, strong but not inflexible.

The surface restoration consisted in first securing the paint by gluing tissue paper to it. This prevented the loss of any loose paint. Glue was then injected beneath the blisters or other eruptions, which were then pressed down. Holes in the surface were filled with gesso and rabbit-skin glue. The paper was removed from the surface and the surface was cleaned. The original colors reappeared from beneath the yellowed varnish and dirt. Repainting was then carried out over the repaired surface blemishes. The medium was polymer and beeswax, thinned with alcohol. Finally, the surface was varnished with a preparation of five per cent beeswax in carbon tetra-

fueron comprados en 1882 por Sir Francis Cook por 1,330 libras esterlinas.[13] Bertaux indica la importancia de la transacción cuando dice que Sir Francis fué "le premier amateur qui ait acquis une oeuvre castillane du XVe siècle . . ."[14] en tanto que otro catálogo dice decididamente que "constituyen el retablo más importante fuera de España."[15]

Las pinturas pasaron a poder de la Fundación Samuel H. Kress en 1954, y pasaron a manos del profesor Mario Modestini para su restauración. Este trabajo tomó varios años y, en tanto que se llevaba a cabo, en la celebración de la presentación formal de la Colección Samuel H. Kress a la Universidad de Arizona el 3 de marzo de 1957, el señor Rush H. Kress anunció la donación de las pinturas a la Universidad.

El profesor Modestini me describió el proceso de restauración. Originalmente, las pinturas se ejecutaron en paneles de madera de pino. La madera no era buena: tenía muchos nudos y las piezas no estaban bien unidas. El grano era desigual. Los paneles estaban cubiertos con lienzos de lino y éstos, a su vez, estaban enyesados. El medio que se usó fué una emulsión de aceite y de un ingrediente desconocido.

Además del daño que hizo a la superficie la artillería de Wellington, los paneles habían sufrido daños por el reverso. Los nudos se habían aflojado y las tablas se habían separado, causando hendiduras que aparecieron en la superficie.

La restauración de la parte trasera consistió primero en cepillar los paneles y reforzarlos. El refuerzo consiste en tiras verticales adheridas a los paneles sobre las rendijas, costuras, etc., ya que el grano de los paneles corre verticalmente. Se dejan unas ranuras en estas tiras en las cuales se insertan tiras horizontales. Se colocan de tal manera que puedan deslizarse fácilmente pero refuerzan a los paneles horizontalmente. El refuerzo es, por lo tanto, fuerte pero no inflexible.

La restauración de la superficie consistió primero en asegurar la pintura pegándole tiras de papel crepé. Esto evitó la pérdida de la pintura que estaba suelta. Después se inyectó goma debajo de las burbujas u otras erupciones que, de este modo, fueron aplanadas. Se llenaron los agujeros de la superficie con yeso y con goma de piel de conejo. Se quitó el papel de la superficie y se limpió dicha superficie. Los colores originales reaparecieron debajo del barniz amarillento y del polvo. Se llevó a cabo entonces la tarea de pintar de nuevo sobre las fallas reparadas de la super-

chloride, which was sprayed on and then brushed with sable. This dries to a mat finish. The result is protection, fresh, bright color, and minimum glare.

Several problems arose during the restoration of the work. The Gothic cusps painted on the panels are modern, indicating where the original framing went.[16] That the framing actually went there was realized by Professor Modestini, who pointed out that the pouncing of the gold on the predella panels stops at the cusps. It will be noted that on the other panels the cusps seldom interfere with the pictorial design, and never interfere seriously. The current framing follows the indicated cusps, thus preserving much of the Gothic quality of the original.

Another problem arose in regard to the *pentimento* in the window of the *Pilate Washing his Hands* and the color notations which have reappeared in the *Betrayal*. These could have been covered up and the pictures made to look as they did when freshly finished. Professor Modestini and I discussed this and decided that these effects ought to be retained, as they were instructive and interesting.

A decision had to be made in regard to the large hole made by the Duke of Wellington's artillery in the *Ecce Homo*. It could have been filled in and painted over but it was decided that, because of its very size—it is the largest area of damage on any of the surviving panels—and because of its historical and romantic interest, it should be left alone.

ficie. El medio que se usó fué un compuesto polimérico y cera de abejas, diluídos con alcohol. Finalmente, se barnizó la superficie con una preparación de cinco por ciento de cera de abejas en tetracloruro de carbono, que se aplicó por aspersión y que luego se aplicó con brocha fina. Al secarse tomó la apariencia de una estera. El resultado es protección, colorido fresco y brillante y un mínimo de reflejo.

Surgieron varios problemas durante la restauración de la obra. Las cúspidas góticas pintadas en los paneles son modernas, indicando dónde iba el marco original.[16] El profesor Modestini se dió cuenta de dónde iba el marco y señaló que la inserción del oro en los paneles de la predela se detiene en las cúspidas. Se notará que en los otros paneles las cúspidas raras veces interfieren con el diseño pictórico y nunca interfieren seriamente. El marco actual sigue las cúspidas indicadas, preservando de esta manera mucha de la calidad gótica del original.

Otro problema surgió con respecto al *pentimento* de la ventana de *El Lavatorio de Pilatos* y de las anotaciones de colorido que habían reaparecido en la *Traición*. Éstas pudieron haberse cubierto y hacer que los cuadros aparecieran como estaban cuando acababan de pintarse. El profesor Modestini y yo discutimos esto y decidimos que estos efectos debían retenerse, puesto que eran instructivos e interesantes.

Se tuvo que decidir algo con respecto al gran agujero hecho por la artillería del Duque de Wellington en el *Ecce Homo*. Podía haberse rellenado y volver a pintarse pero se decidió que por su tamaño mismo—es la sección más grande de daño en cualquiera de los paneles que existen—y por su interés histórico y romántico, debería dejarse como estaba.

CHAPTER 7

CHAOS

PLATE I

CAOS

.CA H OS.

THE CREATION OF EVE

PLATE II

LA CREACION DE EVA

THE CIRCUMCISION

PLATE III

LA CIRCUNCISION

CHRIST AMONG THE DOCTORS

PLATE IV

JESUS ENTRE LOS DOCTORES

THE TEMPTATION OF CHRIST

PLATE V

LAS TENTACIONES

THE MIRACLE OF THE WATER
TURNED TO WINE

PLATE VI

LAS BODAS DE CANA

THE CHARGE TO PETER

PLATE VII

LA VOCACION DE SAN PEDRO

CHRIST AND THE SAMARITAN WOMAN

PLATE VIII

JESUS Y LA SAMARITANA

THE HEALING OF THE
BLIND BARTIMAEUS

PLATE IX

LA CURACION DEL CIEGO

THE RAISING OF LAZARUS

PLATE X

LA RESÚRRECCION DE LAZARO

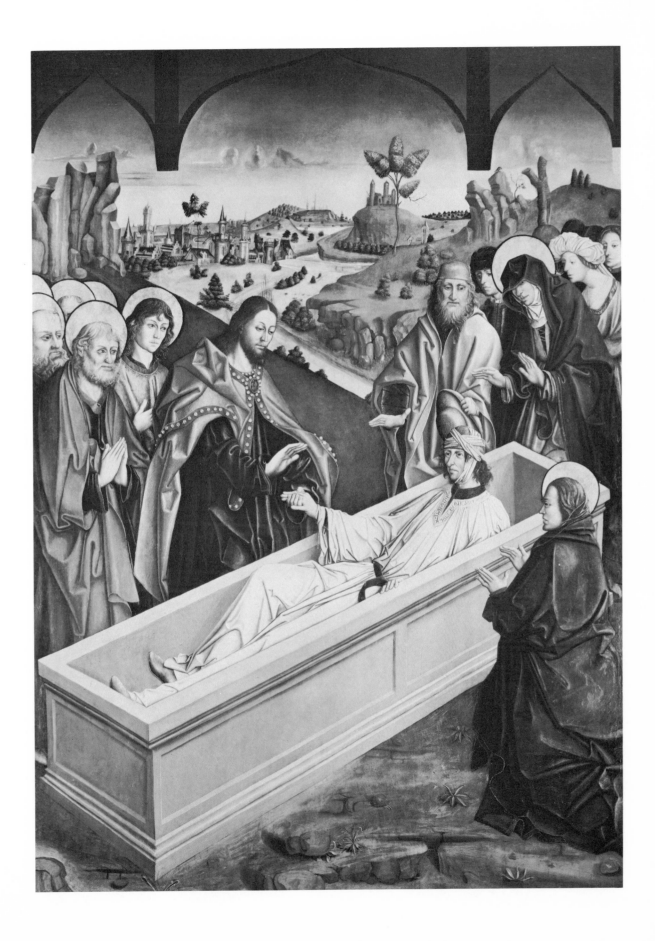

THE SUPPER IN THE
HOUSE OF SIMON

PLATE XI

JESUS EN CASA DE SIMON

THE TRANSFIGURATION

PLATE XII

LA TRANSFIGURACION

THE ENTRY INTO JERUSALEM

PLATE XIII

LA ENTRADA EN JERUSALEN

THE LAST SUPPER

PLATE XIV

LA CENA

THE AGONY IN THE GARDEN

PLATE XV

LA ORACION DEL HUERTO

THE BETRAYAL OF CHRIST

PLATE XVI

EL PRENDIMIENTO

PILATE WASHING HIS HANDS

PLATE XVII

EL LAVATORIO DE PILATOS

ECCE HOMO

PLATE XVIII

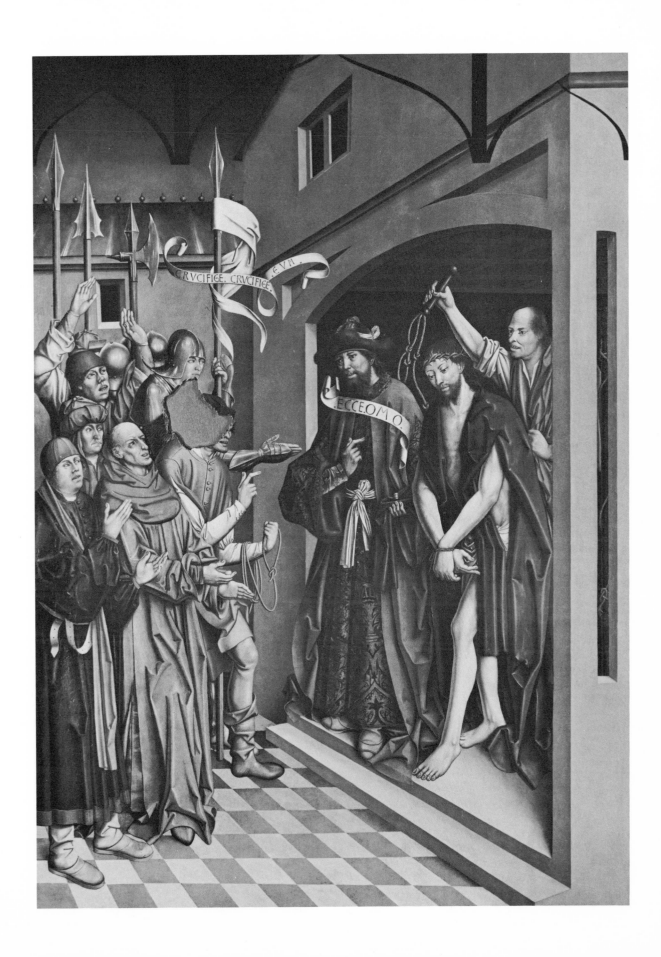

THE PROCESSION TO CALVARY

PLATE XIX

EL CAMINO DEL CALVARIO

THE CRUCIFIXION

PLATE XX

LA CRUCIFIXION

THE DEPOSITION

PLATE XXI

LA DEPOSICION

THE RESURRECTION

PLATE XXII

LA RESURRECCION

THE LAST JUDGEMENT

PLATE XXIII

EL JUICIO FINAL

ST. ANDREW AND ST. PETER

PLATE XXIV

SANTOS ANDRES Y PEDRO

ST. BARTHOLOMEW AND ST. JOHN

PLATE XXV

SANTOS BARTOLOME Y
JUAN EVANGELISTA

ST. MARK AND ST. THOMAS

PLATE XXVI

SANTOS MARCOS Y TOMAS

THE ICONOGRAPHY OF THE PICTURES

LA ICONOGRAFIA DE LOS CUADROS

CHAPTER 8

In the late Gothic age, picture cycles centering on the Passion of Christ were especially popular. Often these picture cycles tended to be very complete, even encyclopedic, in their coverage of the story. In this respect, they were developed from a common enough medieval tradition of book and mural decoration, in which large series of pictures were put together to produce long narratives. In the Middle Ages, the most popular of these picture cycles seems to have been the Apocalypse, which exists in many copies in manuscripts, wall paintings, and sculptural adornments over church portals. Other compendia were also popular, as for instance the *Biblia pauperum* which, by use of Old and New Testament illustrations placed in juxtaposition, attempted to clarify the Messianic prophecies.[1] Similarly, another typologically[2] arranged work was concerned with the commission of sins and the salvation of man through Christ. This was the *Speculum humanae salvationis* which, by its theme, may be seen to have been somewhat more optimistic in its burden than the simple Last Judgment of the Apocalypse. This theme became particularly popular in the fourteenth century and was highly influential upon both Dirk Bouts and Conrad Witz.[3] These two painters, as we have seen, directly influenced Fernando Gallego.

The fourteenth century saw important changes in the concept of man's relationship to God, ush-

En la última edad gótica, los ciclos de pinturas girando alrededor de la Pasión de Jesús eran populares en particular. Con frecuencia estos ciclos de pinturas tenían la tendencia a ser muy completos, aun enciclopédicos, en su descripción de la narrativa. A este respecto, surgieron de una tradición medioeval común de decoración de libros y murales en la cual se reunió larga serie de cuadros para producir largas narrativas. En la Edad Media, el más popular de este ciclo de pinturas parece haber sido el *Apocalipsis* que existe en muchas copias en manuscrito, pinturas murales y adornos escultóricos sobre portales de las iglesias. Otros compendios también eran populares, como por ejemplo la *Biblia pauperum* que, por medio del empleo de ilustraciones del Viejo y Nuevo Testamento colocadas en yuxtaposición, trataban de aclarar las profecías mesiánicas.[1] De igual manera, otra obra arreglada tipológicamente[2] tenía que ver con la comisión de los pecados y la salvación del hombre por medio de Jesús. Esta fué la *Speculum humanae salvationis* que, por su tema, parece haber sido algo más optimista que el simple Juicio Final del Apocalipsis. Este tema se hizo popular en el Siglo XIV y tuvo una gran influencia sobre Dirk Bouts y Conrad Witz.[3] Estos dos pintores, como ya hemos visto, tuvieron una influencia directa sobre Fernando Gallego.

El Siglo XIV vió cambios importantes en la relación del hombre para con Dios, trayendo así,

ering in, as it did, the full force of the mystical movement. It was during this period that the passion motif became popular in art, and during this time, too, that the older fantastic and symbolic art turned toward a more lifelike representation more compatible with the depiction of the role of Christ as man, and sacrifice and salvation. Such subjects were intended to aid mystical meditation, however, and consequently remained spiritual in tone.[4]

Toward the year 1500, large picture cycles were being less used in most parts of Europe, giving way to single pictures.[5] In Spain, however, the Hispano-Flemish style, rich in its mystical feeling, was just reaching a climax, and the large picture cycle was still popular. Our retablo possesses many of the features of this era. It originally showed the creation and fall of man, together with the story of the Holy Family and the Passion, ending with a Last Judgment. It thus contained both Old and New Testament (type and anti-type), dwelt upon the mystical interest of the day, and concluded with the medieval Apocalypse. Our retablo must have been one of the largest and most complete picture cycles in the retablo form anywhere. As we have seen, almost half of it is presumed to have been destroyed.

The opening panel, *The Chaos*, is the most difficult of interpretation. It has been diagrammed on page 30. Following the numbers on the diagram we see, in zone 1, God; in zone 2 a word, *nille* or *hille*; in zone 3, an old man holding a machine; and in the other zones, angels. Under everything stands the word *cahos*. I suspect that the whole confection represents God, in time, bringing order out of chaos and nothingness, while adored by the nine orders of angels.

The figure in zone one is clearly God. In early Christian art represented by symbols,[6] God had become a mature icon by the thirteenth century. By the fourteenth century, He was usually represented as a king in France, as an enthroned emperor with the regalia in Germany, or as a pope in Italy.[7] He is here shown wearing the papel three-tiered tiara and dressed in a brocaded robe with fur edges. He makes a gesture of benediction with His right hand, and in His left holds the orb, the symbol of the power of God the Father.

In the second zone appears a word, variously read as *hille*, which could be the Flemish word for hell, or *nille*, meaning *nihil* or *nothing*.[8] The

como lo hizo, la fuerza completa del movimiento místico. Fué durante este período que el motivo de la pasión se hizo popular en el arte, y durante este tiempo, también, que el arte más antiguo fantástico y simbólico se volvió hacia una representación más realista, más compatible con la representación del papel de Jesucristo como hombre, sacrificio y salvación. Un tema tal tenía la tendencia a ayudar a la meditación mística, sin embargo, y consecuentemente continuó siendo espiritual en tono.[4]

Hacia el año de 1500, se usaron menos los grandes ciclos de pinturas en la mayor parte de Europa, dejando su lugar a cuadros individuales.[5] En España, no obstante, el estilo hispano-flamenco, rico en sentimiento místico, estaba llegando a su apogeo y el ciclo de pinturas de gran tamaño todavía era popular. Nuestro retablo posee muchas de las características de esta era. Originalmente describía la creación y la caída del hombre, junto con la historia de la Sagrada Familia y la Pasión, terminando con el Juicio Final. De esta manera contenía ambos el Viejo y el Nuevo Testamento (tipo y anti-tipo), se ocupaba del interés místico de la época y concluía con el Apocalipsis medioeval. Nuestro retablo debe haber sido uno de los ciclos de pinturas más grandes y completos en forma de retablo del mundo. Como ya hemos visto, casi la mitad de él se supone que ha sido destruído.

El panel original, el *Caos*, es el más difícil de interpretar. Ha sido diagramado en la página 30. Siguiendo los números del diagrama vemos, en la zona 1, a Dios; en la zona 2 una palabra, *nille* o *hille*; en la zona 3 a un viejo que tiene una máquina en la mano; y en las otras zonas, a los ángeles. Por debajo de todo está la palabra *cahos*. Me supongo que el conjunto representa a Dios, a su debido tiempo, trayendo orden a este caos y a esta nada, en tanto que es adorado por las nueve órdenes de ángeles.

La figura de la zona uno es evidentemente Dios. En el arte cristiano primitivo representado por símbolos,[6] Dios se había convertido en un icón maduro para el Siglo XIII. En el Siglo XIV, se le representaba generalmente como rey en Francia, como emperador en su trono con todo lujo en Alemania, o como papa en Italia.[7] Aquí se le muestra llevando la tiara papal de tres secciones y vestido con ropajes de brocado con bordes de piel. Está haciendo un gesto de bendición con su mano derecha, y en la izquierda sostiene el orbe, el símbolo del poder de Dios Padre.

second meaning seems to me to be more harmonious with the general meaning of the panel.

Zone three shows an old man with a machine that suggests a timepiece.[8a] With his right hand, he points to himself. This figure is the most obscure symbol of all, but I suggest that he represents Chronos, or Time. He may be a symbol of the finite, that which God created, as opposed to the infinite God Himself.

In every zone except two and three are ranks of angelic figures, nine in all. These clearly represent the heavenly hierarchy, mentioned without precision in the Scripture[9] and enriched through uncanonical texts.[10] Through the liturgy of early Christianity, the angelic choirs were set at nine, the most commonly accepted order being that established by Pseudo-Dionysius the Areopagite,[11] according to whom there are three hierarchies each consisting of three choirs. The first, or assisting, hierarchy represents the three principles of divinity: love, knowledge, and power. They are the Seraphim, who love and adore God perpetually, the Cherubim, who represent the Divine Wisdom, and the Thrones, who represent Divine Justice. The second hierarchy is that of dominion over all. The angelic choirs of this hierarchy represent the perfections of God in relation to His creatures and act as intercessors. These are the Dominations (representing the Power of God), the Virtues, and the Powers. The third is the executive hierarchy, whose choirs execute God's will over the universe and man. The Princedoms dispense the fate of nations, the Archangels are the heavenly warriors, and the Angels protect the innocent and just.[12]

The identification of the nine ranks of angels in our panel is not a simple matter. The angelic attributes are not standard, and several of our angels hold no attributes at all. The angels in zone one are certainly the Seraphim, described by Ferguson[13] as gathered immediately around the throne of God. Those in zone four are probably the seven Archangels, whose attribute is described by Palomino[14] as a package folded like a letter. Zone three represents the Powers, described by Ferguson as bearing full armor, and zone seven shows the Cherubim who, according to Ferguson, hold books symbolizing the Divine Wisdom. Palomino and Ferguson each describe the Dominations as holding sceptres, as they are represented in zone nine. The angels in zone ten are puzzling, but if their peculiar attribute can be called a wand they would be, according to

En la segunda zona aparece una palabra, que puede leerse como *hille*, que puede ser la palabra flamenca para el infierno, o *nille*, que puede significar *nihil* o *nada*.[8] El segundo significado me parece a mí estar más en armonía con el significado general del panel.

La zona tres muestra a un viejo con una máquina que sugiere a un reloj.[8a] Con la mano derecha se señala a sí mismo. Esta figura es el símbolo más obscuro de todos, pero sugiero que representa a Cronos, o sea el Tiempo. Puede ser un símbolo de lo finito, de lo que Dios creó, en oposición a Dios mismo que es infinito.

En todas las zonas con excepción de la dos y la tres, hay hileras de figuras angelicales, nueve en total. Éstas representan claramente a la jerarquía celeste, mencionada sin precisión en las Escrituras[9] y enriquecida por los textos no canónicos.[10] En la liturgia de la primitiva Cristiandad, los coros angelicales se establecían en número de nueve, el orden más aceptado comunmente siendo el que estableció el Pseudo-Dionisio el Aeropagita,[11] de acuerdo con el cual había tres jerarquías consistiendo cada una de tres coros. La primera o jerarquía auxiliar, representa los tres principios de la divinidad: amor, conocimiento y poder. Son los Serafines, que aman y adoran perpetuamente a Dios, los Querubines, que representan la sabiduría divina, y los Tronos, que representan la Justicia Divina. La segunda jerarquía es la del dominio sobre todas las cosas. Representan las perfecciones de Dios en relación con sus criaturas y actúan como sus intercesores. Éstas son las Dominaciones, representando el Poder de Dios, las Virtudes y los Poderes. La tercera es la jerarquía ejecutiva, que ejecuta la Voluntad de Dios sobre el universo y el hombre. Los Príncipes juzgan la suerte de las naciones, los Arcángeles son los guerreros celestes y los ángeles protegen a los inocentes y a los justos.[12]

La identificación de las nueve hileras de ángeles en nuestro panel no es una cuestión sencilla. Los atributos angelicales no son los comunes, y varios de nuestros ángeles no tienen atributos de ninguna clase. Los ángeles de la zona uno son ciertamente los Serafines, descritos por Ferguson[13] como los que se agrupan alrededor del trono de Dios. Los de la zona cuatro son probablemente los siete Arcángeles, cuyos atributos describe Palomino[14] como un paquete doblado como carta. La zona tres representa los Poderes, descritos por Ferguson con armadura completa, y la zona siete muestra a los Querubines que, según Ferguson, llevan

Palomino, the Virtues. Zone eight would seem to represent the Thrones, although the thrones themselves as attributes are not usual. The creatures in zones six and eleven are again puzzling. The prayerful attitude of the one and scrolls of the other are not recognized attributes, but one must be the Angels, the other the Princedoms.

Under everything stands the word *Cahos*, meaning *Chaos*, a condition lying outside of the orderly mandorlas, representing heaven, in which are seen God and the heavenly hierarchy.

The second panel shows the *Creation of Eve*, taking place immediately after the creation of the beasts and birds. Eve, as is customary, is shown rising from Adam's side.[15]

The first panel relating to the life of Christ is *The Circumcision*. The high priest and assistant perform the operation, while Mary and Joseph, identified by haloes, stand at the left.[16] This is followed by the *Christ among the Doctors*. The boy Jesus sits among the learned men, calmly overriding their arguments which they, with looks of desperation, support with learned books. Mary and Joseph, who have been looking for Him, enter from the right.[17]

The *Temptation of Christ* shows three events simultaneously, a not unusual device in medieval and early Renaissance painting. In the center, Satan tempts Christ to turn the stone into bread. On the left, Satan offers Him the kingdoms of the earth in return for His fealty, and on the right the two stand upon the pinnacle of the temple in Jerusalem where Satan challenges Jesus to throw Himself down to see if God's angels will protect Him.[18] Note Satan's vicious face and taloned feet.

Of Christ's miracles, three are shown in our panels. The *Miracle of the Water Turned to Wine* took place at the marriage at Cana. The servants fill the jars, Christ blesses them, and the wine is drawn off. Mary stands behind Jesus, to the left.[19]

The next panel shows Jesus, tired after walking, seated at Jacob's well, talking to the Samaritan woman. The disciples, who had left Him, have returned and stand at the left, marvelling.[20] The town of Sychar appears in the background, and several figures approach, carrying water jugs. The introduction of genre figures such as these is common in Flemish and Hispano-Flemish painting. It represents an awakening to the reali-

libros simbolizando la Sabiduría Divina. Palomino y Ferguson describen a los Dominios sosteniendo cetros, como están representados en la zona nueve. Los ángeles de la zona diez son una incógnita, pero si llamamos vara mágica a su atributo peculiar, serían, según Palomino, las Virtudes. La zona ocho parece representar a los Tronos aunque los tronos mismos como atributos no son comunes. Las criaturas de las zonas seis y once también son incógnitas no siendo atributos que pueden reconocerse la actitud de rezo del uno y las volutas del otro, pero unos deben ser Ángeles, los otros los Príncipes.

Debajo de todo esto está la palabra *Cahos*, que quiere decir *Caos*, una condición que está fuera de las mandorlas ordenadas, que representan al cielo, en las cuales se ve a Dios y a la jerarquía celeste.

El segundo panel muestra la *Creación de Eva*, tomando lugar inmediatamente después de la creación de los animales y los pájaros. Eva, como se acostumbra, se muestra surgiendo del costado de Adán.[15]

El primer panel que se refiere a la vida de Jesucristo es la *Circuncisión*. El sacerdote mayor y su ayudante llevan a cabo la operación, en tanto que la Virgen María y San José, identificados por aureolas, están de pie a la izquierda.[16] A éste sigue el *Jesús entre los Doctores*. El Niño Jesús está sentado entre los sabios, y con calma deshace sus argumentos que ellos, con desesperación, respaldan por medio de libros eruditos. Santa María y San José, que le han estado viendo, entran por la derecha.[17]

Las *Tentaciones* muestran tres eventos simultáneamente, un artificio que no era raro en la pintura medioeval y de principios del Renacimiento. En el centro, Satanás tienta a Jesucristo sugiriéndole que torne la piedra en pan. A la izquierda, Satanás le ofrece los reinos de la tierra en cambio de su lealtad y a la derecha los dos están de pie en el pináculo del templo de Jerusalén donde Satanás sugiere a Jesucristo que se arroje hacia abajo para ver si los ángeles de Dios le protegen.[18] Nótese la cara feroz y los pies con garras de Satanás.

Se muestran tres de los milagros de Jesucristo en nuestros paneles. *Las Bodas de Caná* muestran el milagro que tomó lugar durante estas bodas. Los criados llenan los jarros, Jesús los bendice y se escancia el vino. La Virgen María está de pie detrás de Jesucristo, a la izquierda.[19]

CHAPTER 8

ties of the world on the artists' part, and serves also to make the spiritual story seem more real and actual.

The Charge to Peter shows Christ handing His disciple the keys of the kingdom of heaven, while the other apostles watch.[21] According to Roman Catholic tradition, it is this act that lies at the basis of the papal power of the bishop of Rome. Peter is therefore dressed in papal robes, while the disciple behind him prepares to invest him with the papal crown.

The Transfiguration is an intensely dramatic scene. Jesus, in the center, has ascended the mountain accompanied by Peter, James, and John, who are seen in the front. Jesus is visited by Moses, on His right, holding the tablets with the commandments, and by Elijah. According to the Scripture, Jesus' countenance was altered and his raiment became dazzling white.[22]

The second miracle shown is *The Healing of the Blind Bartimaeus.* Jesus touches his eyes while a crowd, including some disciples, watches and rejoices.[23] The indication of conversation by the device of scrolls was not uncommon in Flemish Gothic painting and at times was used to excess by the Gallegos. They show restraint in this respect in our retablo.

The third miracle is *The Raising of Lazarus,* which takes place outside the town of Bethany. Although the Scriptural description calls the tomb a cave, it is here reduced to a coffin. Jesus holds Lazarus' hand and Lazarus rises. Mary and Martha, with haloes, are near Lazarus' head; the Jews are grouped behind them. The disciples stand behind Jesus.[24] In the distant town, an interesting genre note is included in the architecture. One tower is in the process of being built and is surmounted by a derrick.

The Passion of Our Lord begins with *The Entry into Jerusalem.* He is shown riding on an ass while the people shout hosannas and spread branches before Him. Usually, they also spread their clothing, as related in the Scripture, but not here.[25]

The *Supper in the House of Simon* shows Christ and Simon and his wife at the table. The woman with the alabaster jar of ointment kneels at His feet, while two disciples on the right show their indignation.[26] In *The Last Supper,* Christ sits at the head of the table with the wafer and cup. The disciples sit around the table in various atti-

El siguiente panel nos muestra a Jesús, cansado después de caminar, sentado en el pozo de Jacob, hablando con la samaritana. Los discípulos, que lo habían dejado, han vuelto y están de pie a la izquierda en actitud expectativa.[20] El pueblo de Sicar aparece en el fondo y se aproximan varias figuras llevando jarros de agua. La introducción de figuras ordinarias como éstas es común en la pintura flamenca e hispano-flamenca. Representa un despertar para con las realidades del mundo por parte de los artistas y sirve también para hacer que la narración espiritual parezca más real y actual.

La Vocación de San Pedro nos muestra a Jesús entregando a Su discípulo las llaves del reino de los cielos en tanto que los otros apóstoles observan esto.[21] De acuerdo con la tradición católica romana, es este acto en el cual se basa el poder papal del obispo de Roma. Por lo tanto, San Pedro está vestido con ropas papales mientras el discípulo, que está detrás de él, se prepara para investirle con la corona papal.

La Transfiguración es una escena intensamente dramática. Jesús, en el centro ha subido a la montaña acompañado por San Pedro, Santiago y San Juan, que se ven en el frente. Jesús es visitado por Moisés, a Su derecha, sosteniendo las tablas de los mandamientos, y por Elías. Según las Escrituras, se alteró el rostro de Jesús y Sus ropajes se volvieron de un blanco esplendoroso.[22]

El segundo milagro que se muestra es la *Curación del Ciego.* Jesús le toca los ojos en tanto que una multitud, incluyendo algunos discípulos, le observa y se regocija.[23] La indicación de la conversación por el artificio de las volutas no era raro en la pintura gótica flamenca y a veces lo usaron hasta el exceso los Gallegos. Muestran circunspección a este respecto en este retablo.

El tercer milagro es *La Resurrección de Lázaro,* que tiene lugar en las afueras del pueblo de Betania. Aunque la descripción de las Escrituras llama a la tumba una caverna, aquí se reduce a un ataúd. Jesús toma la mano de Lázaro y Lázaro resucita. María y Marta, con aureolas, están cerca de la cabeza de Lázaro; los judíos están agrupados detrás de ellas. Los discípulos están de pie detrás de Jesús.[24] En el pueblo que se ve en la distancia, se incluye una nota interesante de vida diaria en la arquitectura. Una torre está en proceso de construcción y tiene una grúa.

La Pasión de Nuestro Señor empieza con *La Entrada en Jerusalén.* Se le ve montado en un asno en tanto que la multitud canta hosannas y arroja

tudes. Judas, in the lower right, is the only one with no halo. He holds the bag of silver clutched behind his back, and the disciple to his right holds his nose because of his proximity to Judas.[27]

The Agony in the Garden is one of the most dramatic scenes in the whole series. Christ kneels in prayer while Peter, James, and John, despite His injunction, sleep on the left. The angel is mentioned only in Luke's account.[28] In the distance, Judas, still holding his bag of silver, may be seen entering the garden, leading the soldiers to Christ. *The Betrayal* follows immediately. Judas has just attempted to kiss Jesus,[29] and still has a hand upon him, while a captor has thrown a rope over Christ's head. Peter, to the left, has just struck off the ear of the servant of the high priest, kneeling in front, but Jesus hands the ear back to the injured man, healing him.[30]

The *Ecce Homo* shows Christ presented to the people by Pilate. The scroll above the crowd reads CRVCIFIGE. CRVCIFIGE. .EVM.; its answer to Pilate's query.[31] The Duke of Wellington's cannon ball has shot away the head of the man with the rope. Immediately following his acquiescence to the mob, Pilate washed his hands to signify his innocence of Christ's blood. Our next panel shows this, with Christ about to be led away by the mob in the doorway to the right.[32] A number of the figures in this panel may be recognized from the previous one.

The next panel shows *The Procession to Calvary*. Jesus is led by a rope held by a carpenter carrying a hammer, and is abused by the crowd. Simon of Cyrene, to Jesus' right, helps support the cross. Mary appears at the extreme left, and the two thieves are led off on the right.[33]

The Scriptural accounts of the *Crucifixion* differ noticeably in detail. That of John, however, is the fullest, and it is that one that is followed, in essence, here.[34] Christ hangs on His cross in the center of the picture, flanked by the two thieves. Upon the cross stands the inscription: INRI, or *Iesus Nazarenus Rex Iudaeorum*—"Jesus of Nazareth, King of the Jews." This was placed there upon Pilate's order. All of the evangelists refer to crowds of soldiers and passersby, including women. For the most part, they mocked Christ. According to John, among those present was John himself, referred to simply as "the disciple whom He loved." John is shown to the left of the cross, supporting the swooning Mary, the mother of Christ, while her sister, Mary, the wife of Clopas, is seen behind John. To the right of

ramas ante Él. Por lo común, también arrojaban su ropa, como se relata en las Escrituras, pero no ocurre esto aquí.[25]

Jesús en la casa de Simón muestra a Jesús y a Simón y a su esposa a la mesa. La mujer con una jarra de alabastro con ungüentos se arrodilla a Sus pies, mientras que dos discípulos muestran su indignación a la derecha.[26] En *La Cena*, Jesús está sentado a la cabecera de la mesa con la hostia y una copa. Los discípulos se sientan alrededor de la mesa en varias actitudes. Judas, a la parte inferior derecha, es el único que no tiene una aureola. Esconde una bolsa de plata por la espalda y el discípulo que está a su derecha se tapa la nariz por su proximidad a Judas.[27]

La Oración del Huerto es una de las escenas más dramáticas de toda la serie. Jesús se arrodilla en oración en tanto que San Pedro, Santiago y San Juan, a pesar de Su mandato, duermen a la izquierda. El ángel se menciona únicamente en el Evangelio de San Lucas.[28] En la distancia, Judas, que aun tiene su bolsa de monedas de plata, puede verse entrando al huerto, guiando a los soldados hacia Jesús. *El Prendimiento* sigue inmediatamente. Judas acaba de tratar de dar un beso a Jesús y todavía tiene una mano posada en Él en tanto que uno de sus aprehensores ha puesto una cuerda al cuello de Jesús. San Pedro, a la izquierda, acaba de cortar la oreja del criado del sacerdote mayor, que se arrodilla al frente, pero Jesús le devuelve la oreja al herido sanándole.[30]

El *Ecce Homo* muestra a Jesús al ser presentado al pueblo por Pilatos. La voluta que está encima de la multitud dice CRVCIFIGE. CRVCIFIGE. .EVM.; la respuesta del pueblo a la pregunta de Pilatos.[31] La bala de cañón del Duque de Wellington se llevó la cabeza del hombre que tiene la cuerda. Inmediatamente de someterse a la multitud, Pilatos se lavó las manos para significar su inocencia con respecto a la sangre de Jesús. Nuestro siguiente panel muestra esto cuando la multitud está para llevarse a Jesús por el portal que está a la derecha.[32] Varias figuras de este panel pueden reconocerse del anterior.

El siguiente panel muestra el *Camino del Calvario*. Jesús es llevado por una cuerda que sostiene un carpintero que lleva un martillo y es insultado por la multitud. Simón de Cirenea, a la derecha de Jesús, le ayuda a cargar la cruz. Santa María aparece al extremo izquierdo, y los dos ladrones son llevados a la derecha.[33]

Los relatos de las Escrituras de la *Crucifixión* difieren notablemente en cuanto a los detalles. El

the cross is Mary Magdalene, also present according to John's account, and Mary Salome appears to the right of Jesus' feet. It is only John who relates the piercing of Christ's side by the soldier with the spear.[35] The soldier, most evil-appearing, stands below the thief to the left. The presence of the pierced side is evidence that Jesus is dead. Therefore His friends mourn and Mary, His mother, swoons.

The Deposition is rather summarily described in the Scriptures, and artists have taken liberties with the subject. All the evangelists relate that Joseph of Arimathea obtained the body from Pilate and prepared it for burial, but only John mentions the participation of Nicodemus.[36] Both men are shown in our panel. This painting also has many of the aspects of a *Pietà*, for in addition to the mourning Mary and John the Evangelist, five holy women appear behind the central group. They probably include the other three Marys, and judging by the miniature tower, which is her attribute, the one at the extreme right would seem to be St. Barbara. According to legend, the Crucifixion took place upon the very spot where Adam had been buried, and in our *Deposition* is shown, at the bottom, the skull that usually appears in *The Crucifixion*. The place of the Crucifixion was called Golgotha, "The Place of the Skull." The symbolism goes beyond this, however, for the presence of Adam's skull is a reminder that he fell from grace, whereas Christ's sacrifice upon the cross is the instrument of man's return to grace. The symbolical and mystical relationship between Adam and Christ, the "second Adam," is defined by St. Paul.[37]

Both *The Crucifixion* and *The Deposition* have identical backgrounds, and as is so often the case in painting of the time, genre scenes occur in them. Before the town may be seen soldiers and hunters, peasants and laden beasts, and a herder with his flock.

The panel of *The Resurrection* is an instance of a subject dependent upon pure artistic license. The four evangelists relate the visit of the holy women to the tomb and their meeting with the angel who informs them that Christ has risen,[38] but there is no description of that act itself. The Resurrection has appealed to artists throughout the ages, however, and they have imaginatively recreated the event. Matthew suggests that the soldiers may have slept,[39] and so some of them are shown here, although others are awake and dazzled. Christ stands upon the rim of His tomb,

de San Juan, sin embargo, es el más completo, y es el que se sigue aquí, esencialmente.[34] Jesús está en la cruz en el centro del cuadro, flanqueado por los dos ladrones. En la cruz está la inscripción: INRI, o sea *Iesus Nazarenus Rex Iudaeorum* "Jesús de Nazaret, Rey de los Judíos." Ésta fué colocada por orden de Pilatos. Todos los evangelistas se refieren a las multitudes de soldados y espectadores, incluyendo las mujeres. En su mayor parte se mofaban de Jesús. Según San Juan, entre los presentes estaba el mismo San Juan al que se llama sencillamente, "el discípulo a quien amaba." San Juan está a la izquierda de la cruz, sosteniendo a la Virgen María que se desmaya, en tanto que su hermana, María, la esposa de Cleofas, aparece detrás de San Juan. A la derecha de la cruz está María Magdalena, también presente según la narración de San Juan, y María Salome aparece a la derecha de los pies de Jesús. Es sólo San Juan el que relata la lanzada que recibió Jesús en el costado por un soldado.[35] El soldado, de apariencia siniestra, está de pie debajo del ladrón de la izquierda. La presencia del costado atravesado es señal de que Jesús ha muerto. Por lo tanto Sus amigos están de duelo y Santa María, Su madre, se desmaya.

La Deposición se describe de una manera sumaria en las Escrituras, y los artistas se han tomado libertades con este tema. Todos los evangelistas relatan que José de Arimatea obtuvo el cadáver por orden de Pilatos y lo amortajó, pero sólo San Juan menciona la participación de Nicodemo.[36] Ambos hombres aparecen en nuestro panel. Esta pintura también tiene muchos de los aspectos de una *Pietà*, porque además de Santa María y San Juan Evangelista que están de duelo, aparecen cinco santas mujeres detrás del grupo central. Probablemente incluye a las otras tres Marías, y la que está al extremo derecho, juzgando por la torre en miniatura, su atributo, parece ser Santa Bárbara. Según la leyenda, la Crucifixión se verificó en el mismo lugar donde Adán había sido enterrado, y en nuestra *Deposición* se muestra, en la parte inferior, la calavera que por lo general aparece en la *Crucifixión*. El lugar de la Crucifixión se llamaba Gólgota, "el Lugar de la Calavera." El simbolismo va más allá de esto, sin embargo, porque la presencia del cráneo de Adán nos recuerda que había caído de la gracia divina, en tanto que el sacrificio de Jesús en la cruz es el instrumento de la vuelta del hombre a dicha gracia. La relación simbólica y mística entre Adán y Jesús, el "segundo Adán," la define San Pablo.[37]

holding the banner of His triumph in one hand and making a gesture of benediction with the other.

The Last Judgment takes its theme from the *Apocalypse* or *Book of Revelation*. It is an ancient theme that became increasingly popular as the year 1500 approached, as that year was expected to herald the end of the world. The apocalyptic idea occurs in one form or another in the religion and philosophy of all the ancient peoples, commonly possessing the features of the end of the world and its glorious rebirth; sometimes also proclaiming a millenial periodicity. In Old Testament literature—Jeremiah, Ezekiel, Daniel, the Psalms—there is no limit put on the Messianic reign, but according to the Christian story, Christ is to be the governor of the world for a period of a thousand years. Literarily, the *Revelation to St. John* constitutes a Hebraic survival in a Christian age. According to it, the Messianic reign will last a thousand years, after which Satan will reappear for a short time and then be destroyed. The dead are to rise from their tombs and be judged; then a new universe is to be created for the elect.[40] There have been many interpretations of John's *Apocalypse*, and in earlier days one of the most pressing problems was: How compute the arrival of the millenium? According to St. Augustine, the Church is the realm of Christ and the millenium began in the year of His incarnation. The more common view held that this would be a strange realm of Christ, with its sin, crime, and corruption, and that the Church was the Church Militant until the millenium, when it would become the Church Triumphant. In the meantime, the terrestrial reign was to be one of the Fall and the Redemption.[41] This is the basic interpretation that entered the Middle Ages and continued into the Renaissance. Our picture cycle shows the later emphasis upon the Creation, Fall, and Salvation through Christ, with the Apocalypse confined to one panel. In earlier times, the subject was much elaborated. Many manuscripts were concerned with the theme, and included as many as 150 illustrations. The theme was transferred to a mural art and may be found in the mosaics, paintings, and sculptures of many countries. Usually placed over the main portal of a church, the subject was limited by mural considerations and normally restricted itself to the Last Judgment, which uses the form of the *Majestas Domini* (Christ in Majesty) in several variations, the most complete of which shows the raising of the

Tanto *La Crucifixión* como *La Deposición* tienen fondos idénticos, y como se ve a menudo en el caso de las pinturas de esta época, ocurren en ambos escenas ordinarias. Ante la ciudad se ven soldados y cazadores, campesinos y bestias cargadas y un arriero con su hato.

El panel de *La Resurrección* es el caso de un tema que depende enteramente de licencia artística pura. Los cuatro evangelistas relatan la visita de las santas mujeres a la tumba y su reunión con el ángel que les informó que Cristo había resucitado,[38] pero no hay descripción de ese acto mismo. La Resurrección ha tenido atractivo para los artistas en todas las edades, sin embargo, y con gran imaginación han recreado este suceso. San Mateo sugiere que los soldados pueden haberse dormido,[39] y por eso algunos de ellos se muestran así aquí, aunque otros están despiertos y confusos. Jesús está de pie al borde de su sepulcro, sosteniendo la bandera de su triunfo en una mano y haciendo un gesto de bendición con la otra.

El *Juicio Final* toma su tema del *Apocalipsis* o *Libro de las Revelaciones*. Es un tema antiguo que se hizo muy popular según se acercaba el año de 1500, puesto que ese año se suponía que indicaba el fin del mundo. La idea apocalíptica ocurre en una forma o en otra en la religión y filosofía de todos los pueblos antiguos, teniendo en común las características del fin del mundo y de su glorioso renacimiento; algunas veces también proclamando una periodicidad milenar. En la literatura del Antiguo Testamento—Jeremías, Ezequiel, Daniel, los Salmos—no se establece límite en cuanto al reino mesiánico, pero de acuerdo con la narración cristiana, Jesús ha de ser el gobernante del mundo por un período de mil años. Desde el punto de vista literario, la *Revelación de San Juan* constituye un dato hebraico que sobrevive en la era cristiana. De acuerdo con éste, el reino mesiánico durará mil años, después del cual Satán reaparecerá por un corto tiempo y será destruído después. Los muertos han de resucitar de sus tumbas y ser juzgados; después ha de crearse un nuevo universo para los elegidos.[40] Ha habido muchas interpretaciones del *Apocalipsis* de San Juan, y en otros tiempos uno de los problemas importantes era: ¿Cómo computar la llegada del milenio? De acuerdo con San Agustín, la iglesia es el reino de Jesús y el milenio empezó en el año de su encarnación. La opinión más común sostenía que esto sería un reino extraño para Jesús, con sus pecados, crímenes y corrupciones, y que la Iglesia era la Iglesia Militante hasta el milenio, cuando se con-

dead and the separation of the blessed from the damned. Our panel falls within this tradition.

The usual symmetrical arrangement is followed. Christ is enthroned in the center.[42] He is adored by angels, some of whom blow trumpets.[43] On His right kneels the Virgin and on His left, John the Baptist. These two act as intercessors for man. Ranged below this assembly are the apostles. Twelve, of course, are usually shown, but here there are only nine, which could indicate that this panel has been trimmed on the sides. The apostles shown are identified by their attributes. At the left is Simon, holding the saw of his martyrdom. Next is James the Greater whose bones, legend says, came miraculously to Santiago de Compostela. The depiction on the Puerta de las Platerias of the cathedral there set the mode for the Spanish representation of the saint.[44] In our panel he is shown as a pilgrim wearing a hat and a cloak with a long collar and carrying a pilgrim's staff, his main attribute. Paul sits next to James. Since the thirteenth century, he has usually been depicted as bald and bearded. His attribute is a sword but he is frequently shown, as here, reading a book. The next apostle is John the Evangelist, whose attribute is the eagle, here shown sitting upon the book in which John writes his gospel. Peter is on the center end of the left rank. His attributes are the key and a book. Bartholomew, the first saint on the right, is usually identified by the knife of his martyrdom, but here is shown simply with a book. Matthew's attribute is an angel, shown here at his shoulder while he writes in his gospel. Philip has no certan attributes, but is usually shown beardless and youthful, as here, and may hold a book or scroll. The last apostle, Andrew, holds the large cross of his martyrdom. The apostles are witnesses at the judging[45] of the dead who rise at the trumpet calls.[46] The dead rise in the bottom center, emerging from holes in the ground or from coffins. On Christ's right, responding to His glance, are the blessed, while on His left, responding to His gesture of denial, are the damned who plunge into the fiery pit. Some fifty years later, Michelangelo was to follow the same traditional scheme in his *Last Judgment* in the Sistine Chapel.

The saints on the panels of the predella are identifiable by their attributes. Andrew, in his later career, evangelized in the northern lands. Here he made so many converts that the Roman governor of Patrae, in Greece, became alarmed. The governor had Andrew tortured and then

vertiría en la Iglesia Triunfante. Entretanto, el reino terrestre había de ser uno de Caída y Redención.[41] Ésta es la interpretación básica que llegó a la Edad Media y que continuó hasta el Renacimiento. Nuestro ciclo pictórico muestra el último énfasis en la Creación, Caída y Salvación por medio de Jesús, con el Apocalipsis en un panel. En tiempos antiguos, el asunto era mucho más elaborado. Muchos manuscritos tenían que ver con este tema e incluían hasta 150 ilustraciones. El tema fué transferido al arte mural y puede encontrarse en los mosaicos, pinturas y esculturas de muchos países. Colocado comúnmente sobre el portal principal de una iglesia, el asunto estaba limitado por las consideraciones murales y se concretaba normalmente al Juicio Final, que usa la forma de *Majestas Domini* (Jesús en Majestad) con variantes, la más completa de las cuales mostraba la resurrección de los muertos y la separación de los elegidos y los condenados. Nuestro panel se halla dentro de esta tradición.

Se sigue el arreglo simétrico común. Cristo está en Su trono en el centro.[42] Es adorado por los ángeles, algunos de los cuales tocan sus trompetas.[43] A Su derecha se arrodilla la Virgen y a Su izquierda, San Juan Bautista. Ambos actúan como intercesores del hombre. Colocados debajo de esta asamblea están los apóstoles. Doce, por supuesto, se muestran por lo general, pero aquí aparecen sólo nueve que pueden indicar que este panel ha sido recortado de los lados. Pueden identificarse los apóstoles que aparecen aquí por sus atributos. A la izquierda, aparece San Simón con la sierra de su martirio. Junto a él está Santiago el Mayor cuyos huesos, según la leyenda, vinieron de una manera milagrosa a Santiago de Compostela. La descripción de la Puerta de las Platerías de la catedral estableció el modelo para la representación española del santo.[44] En nuestro panel se le muestra como peregrino llevando un sombrero y una capa con un cuello largo y cargando el bordón del peregrino, su atributo principal. San Pablo está sentado junto a Santiago. Desde el Siglo XIII, se le ha descrito por lo general como calvo y barbado. Su atributo es una espada pero con frecuencia se le muestra, como en esta ocasión, leyendo un libro. El siguiente apóstol es San Juan Evangelista, cuyo atributo es el águila, que se muestra aquí sentada sobre el libro en el cual San Juan escribe su evangelio. San Pedro está en el centro de la fila izquierda. Sus atributos son la llave y un libro. San Bartolomé, el primer santo de la derecha, se identifica generalmente por el cu-

crucified. The peculiar X-shaped cross is therefore associated with the saint.[47] Peter holds a pair of keys, referring to Christ's bestowal upon him of the keys of the kingdom of heaven.[48] Peter also evangelized, in Asia Minor and in Rome, and therefore sometimes carries a book, symbolizing "The Word." Bartholomew, having been preaching in Armenia, was taken by heathens on his return journey and was flayed alive. His attribute is a pair of large knives.[49] John the Evangelist, after a career of evangelizing, settled at Ephesus. The Emperor Domitian twice tried to murder him. On the first occasion John was offered a cup of poisoned wine, but the poison departed in the form of a snake. Subsequently John was exiled to Patmos where the Apocalypse was revealed to him.[50] Mark's usual attribute, a winged lion, is not here used, but he is identified by the book representing his gospel. Thomas twice played the role of doubter. In addition to doubting Christ's resurrection, he doubted the assumption of the Virgin. In consequence, she lowered her girdle to him.[51] Our representation shows him holding the Virgin's girdle rather than his more usual attribute, the builder's square.

CHAPTER 8

chillo de su martirio, pero aquí se le muestra sencillamente con un libro. El atributo de San Mateo es un ángel, que aparece aquí en su hombro en tanto que escribe en su evangelio. San Felipe no tiene atributos especiales, pero generalmente se le pinta sin barba y de aspecto juvenil, como está aquí, y algunas veces trae un libro o un papel. El último apóstol, San Andrés, tiene la cruz de su martirio. Los apóstoles son testigos en el juicio[45] de los muertos que resucitan al llamado de la trompeta.[46] Los muertos resucitan en el centro inferior, emergiendo de unos agujeros en el suelo o de sepulcros. A la derecha de Jesús, respondiendo a Su mirada, están los bienaventurados, en tanto que a Su izquierda, respondiendo a Su gesto negativo, están los condenados que caen en un abismo con llamas. Unos cincuenta años después, Miguel Angel había de seguir el mismo esquema tradicional en su *Juicio Final* en la Capilla Sistina.

Los santos de los paneles de la predela se identifican por sus atributos. San Andrés, al término de su carrera, catequizó en las tierras del norte. Allí convirtió a tantos que el gobernador romano de Patras, en Grecia, se alarmó. El gobernador hizo torturar a San Andrés y después crucificarlo. La cruz de una forma peculiar en "X", por lo tanto, se asocia con el santo.[47] San Pedro tiene un par de llaves, refiriéndose a que Jesús le otorgó las llaves del reino del cielo.[48] San Pedro también evangelizó en el Asia Menor y en Roma, y, por eso, algunas veces tiene en la mano un libro, simbolizando "El Verbo." San Bartolomé, habiendo predicado en Armenia, fué capturado por los infieles a su regreso y fué desollado vivo. Su atributo es un par de cuchillos grandes.[49] San Juan Evangelista, después de una carrera de evangelizador, se estableció en Efeso. El Emperador Domiciano trató de asesinarle dos veces. En la primera ocasión se le ofreció a Juan una copa de vino envenenado, pero el veneno desapareció en forma de serpiente. Subsecuentemente, San Juan fué desterrado a Patmos donde se le reveló el Apocalipsis.[50] El atributo común de San Marcos, un león alado, no se usa aquí, pero se le identifica por el libro que representa su evangelio. Santo Tomás dos veces hizo el papel del que dudaba. Además de dudar la Resurrección de Jesús, dudó la Asunción de la Virgen. En consecuencia, la Virgen le entregó su ceñidor.[51] Nuestra representación le muestra con el ceñidor de la Virgen en la mano en lugar de su atributo más común que es la escuadra del constructor.

NOTES

CHAPTER 1   [1]This entire survey is drawn from C. W. Previté-Orton, *The Shorter Cambridge Medieval History*. Cambridge University Press, 1952. 2 vols., II 1069–1073.

[2]*Ibid.*, p 1071.

[3]Isabella was crowned King of Castile.

[4]A retablo (retable, rear table) is a raised shelf or ledge above and in back of the table of the altar, on which are placed lights, flowers, etc. It came to mean an altarpiece of a particular type.

CHAPTER 2   [1]Chandler Rathfon Post, *A History of Spanish Painting*. Cambridge, Harvard University Press, 1933. Vol. IV, part 1: "The Hispano-Flemish Style in North-western Spain," pp. 3f.

[2]*Ibid.*

[3]*Ibid.*, pp 4–10.

[4]Juan de Contreras, *Historia del arte hispánico*. Barcelona and Buenos Aires, 1940. III, 280.

[5]c. 1415–1475. A native of Haarlem, he was active there and in Louvain, but was influential in many places other than the Low Countries.

[6]c. 1435–1494. He was active and very influential in Flanders and the Rhineland.

[7]c. 1400–1464. He was one of the most important of Flemish painters. He went once to Italy, where his fame was also great.

[8]Entry in the *Journal of his Journey to the Netherlands* on 7 June, 1521: "And on Friday Lady Margaret showed me all her beautiful things; among which I saw about forty small panels of oil painting, the equal of which for purity and excellence I have never seen." Quoted in A. Dürer, *Schriftlicher Nachlass;* Ed. Hans Rupprich. Berlin, Deutscher Verein für Kunstwissenschaft, 1956. I, 173. Dürer, 1471–1528, of Nuremberg, was the most important painter in German history. He ushered the Renaissance into that country's art.

[9]de Contreras, *op. cit.*, 280.

[10]*Op. cit.*, 37–49. Melchior Alemán, Miguel Sithnim (properly Sittow or Zittoz, also called Miguel Flamenco, c. 1469–1525) and Juan de Flandes (died 1519) were all Flemings. All became court painters to Isabella in 1492.

[11]A Castilian who died c. 1517, Rincon became a sort of Superintendent of Painters and Painting for Ferdinand.

[12]Enrique Lafuente Ferrari, *Breve historia de la pintura española*, Ed. 3. Madrid, Editorial Dossat, 1946. Chacón fl. c. 1480.

[13]In 1375–1381. He was also called Jean de Bandol.

[14]The Duke (died 1416) was a great collector and patron of the arts.

[15]A Netherlander active in Paris and Dijon.

[16]1385/90–1441. Jan was of Dutch origin but active mainly in Bruges. He was a master painter by 1422 and soon became court-painter and *varlet de chambre* to Philip the Good, Duke of Burgundy (1396–1467). The following account is from Lafuente, *op. cit.*, pp. 71f, and de Contreras, *op. cit.*, 256f.

[17]The resting place of the bones of St. James and the object of pilgrimages for centuries.

[18]*Op. cit.*, 15.

[19]Lafuente, *op. cit.*, 72.

[20]*Op. cit.*, 257.

[21]In Jacques Lassaigne, *Spanish Painting from the Catalan Frescoes to El Greco*. Geneva, Skira, 1952. p. 127.

[22]*La peinture en Espagne*. Paris, Librairie Plon, 1938. p. 9.

[23]An important painter. possibly Robert Campin (c. 1380–1444) active in Flanders in the time of the van Eycks.

[24]Carl Justi, in "Altflandrische Bilder in Spanien und Portugal," *Zeitschrift für bildende Kunst*. Leipzig, 1886 (XXI) p. 95, reports that one of Roger's pictures was in the possession of John II during Roger's own lifetime. Post, *op. cit.*, 24, indicates that he was otherwise represented by copies and workshop pieces.

[25]Active 1444–1473, he was an important continuer of the Eyckian style.

[26]See Post, *op. cit.*, 22–27, for this record. The Master of the St. Lucy Legend was close to Memling; active c. 1480–1500.

[27]c. 1435– c. 1475. He spent his last years in Urbino.

[28]c. 1440–1482. Active in Flanders, he painted on commission for the Medici agents.

[29]c. 1460–1523. Of Dutch origin, he was active mainly in Bruges.

[30]1465–1530. His style moves from the Boutsian toward the Italianate.

[31]c. 1450/60–1516. He popularized a highly esoteric but fantastic subject-matter.

[32]Post, *op. cit.*, 28ff.

[33]Justi, *op. cit.*, 133.

[34]1430?—1479. He is credited with carrying the Flemish oil technique from Naples to Venice, and thus helping form the great Venetian school.

[35]Alfonso de Cordoba?

[36]Died c. 1498. Active in Aragon and Barcelona. He is said to have introduced oil painting into Aragon.

[37]Post, *op. cit.*, 55—61.

[38]*Op. cit.*, 257 and 270.

[39]*Ibid.*, 257.

[40]José Gudiol, *Spanish Painting*. Toledo (Ohio) Museum of Art, 1941. p. 36.

[41]Paul Guinard and Jeannine Baticle, *Histoire de la peinture espagnole*. Paris, Pierre Tisné, 1950. p. 31.

[42]E. Harris, *Spanish Painting*. Paris, 1937. p. 9. The painting is in the Museum of Catalan Art, Barcelona.

[43]Inglés may have been English, as the name implies, but his painting style was Spanish. The retablo was commissioned for the Hospital of Buitrago by the Marquis of Santillana, of the court of John II, in 1455, and is now in the collection of the Duke del Infantado, Madrid.

[44]M. Gómez-Moreno and F. J. Sánchez Cantón, "Sobre Fernando Gallego," in *Archivo español de arte y arqueología*, 1927 (III). p. 354.

[45]Died 1504. He was also strongly influenced by Italian painting. He probably worked with Melozzo da Forli and Justus of Ghent at Urbino in 1477. He was active in Toledo and Avila after 1482.

[46]August L. Mayer, "Studien zur Quatrocentomalerei in Nordwestkastilien," in *Reportorium für Kunstwissenschaft*, 1909 (XXXII). pp. 508—528.

[47]Post, *op. cit.*, 63.

[48]de Contreras, *op. cit.*, 255.

[49]Post, p. 62.

[50]*Ibid.*, 63; and Lafuente, *op. cit.*, 73.

[51]Joachim Patinir, c. 1480—1524, was especially renowned for his landscapes.

[52]Lafuente. p. 73.

[53]Post, p. 64.

[54]*Ibid.*

[55]*Ibid.*, 64 Lafuente, p. 73; Guinard and Baticle. *op. cit.*, 41.

[56]Post, pp. 62ff; Lafuente, p. 73.

[57]Post, 63; Lafuente, 73; Guinard and Baticle, p. 41.

[58]Harris, *op. cit.*, 8.

[59]c. 1445—1491. Active in Colmar. He was a painter, and the most important engraver prior to Dürer.

[60]Hugo Kehrer, "Martin Schongauer in Spanien," *Monatshefte für Kunstwissenschaft*, 1910 (III). pp. 157f.

[61]Mayer, "Studien," *op. cit.*, 315; and Post, *op. cit.*, 33.

[62]*Ibid.*

[63]*Op. cit.*, 157f.

[64]c. 1400—1447. Active mostly in Basel, he based his style upon the Burgundian-Flemish, but showed an intense interest in problems of space and perspective.

CHAPTER 3   [1]A. Palomino Velasco, *El museo pitórico*, Madrid, 1715—1724. In this work Palomino follows the examples of Vasari, van Mander, etc. He had access to several earlier *Lives* and biographies now lost, and so provides a valuable record. His book went through several later editions and translations and had a notable influence on later writers. Part III is called "El Parnaso español pintoresco laureado con las vidas de los pintores y estatuarios eminentes españoles." Gallego is mentioned on pp. 14f. These *Vidas* have been republished as part of F. J. Sánchez Cantón, *Fuentes literarias para la historia del arte español*, Madrid, 1936. In Vol. VI, Gallego is mentioned on pp. 14f.

[2]Juan Antonio Gaya Nuño, *Fernando Gallego*, series "Artes y artistas," Madrid, Instituto Diego Velázquez, 1958. p. 9.

[3]M. R. P. P. Pellegrino Antonio Orlandi, *Abecedario Pittorico*, enlarged by Pietro Guarienti. Venice, 1753. p. 167.

[4]D. Antonio Ponz, *Viage de España*. Madrid. Vol. 12, p. 184.

[5]D. Juan Agustin Ceán Bermudez, *Diccionario histórico de los mas illustres profesores de las bellas artes en España*. Madrid. Vol. II, pp. 156f.

[6]Gómez-Moreno and Sánchez Cantón, *op. cit.*, 349.

[7]*The Picture Collector's Manual* . . . Being a Dictionary of Painters, etc. London. 2 Vols., Vol. I, p. 162 *et passim.*

[8]J. D. Passavant, *Die christliche Kunst in Spanien.* Leipzig. pp. 77ff.

[9]Post, *op. cit.*, 87; Gómez-Moreno and Sánchez Cantón, p. 349; and Ulrich Thieme and Felix Becker, *Allgemeine Lexikon der bildenden Künstler.* Leipzig, 1920. Vol. XIII, p. 110.

[10]Post, p. 87.

[11]Maurice Sérullaz, *Evolution de la peinture espagnole.* Paris, Horizons de France, 1947. p. 108.

[12]Post, p. 85.

[13]Gaya Nuño, *Fernando Gallego, op. cit.*, p. 7; Lassaigne, *op. cit.*, p. 72; Mayer, "Studien," *op. cit.*, 522; *Idem.*, *Geschichte der Spanischen Malerei.* Leipzig, 1913. Vol. I, p. 135; *Idem.*, *Historia de la pintura española*, 2nd Ed. Madrid, Espasa-Calpe, 1942. p. 161; Thieme-Becker, *op. cit.*, 110.

[14]Gaya Nuño, *Fernando Gallego*, 13f; Mayer, "Studien," 523; Gómez-Moreno and Sánchez Cantón, *op. cit.*, 351; Lafuente, *op. cit.*, 74f; de Contreras, *op. cit.*, 276; F. J. Sánchez Cantón, "Tablas de Fernando Gallego en Zamora y Salamanca," in *Archivo español de arte y arqueología*, 1929 (v). p. 279.

[15]King of the Visigoths in Spain. Son and successor to Chindasvinto. Died in 672, the 23rd year of his reign.

[16]Mayer, "Studien," 523ff.

[17]Fernando Jiménez-Placer and Suárez de Lezo, *Historia del arte español.* Barcelona, Madrid, Buenos Aires, Rio de Janeiro, Mexico, Montevideo, Editorial Labor, 1955. 2 vols., Vol. I, 467ff. Reproduced in Sánchez Cantón, "Tablas," plates I–III following p. 280, and in Gaya Nuño, *Fernando Gallego*, plates 2–9.

[18]Sánchez Cantón, "Tablas," 280.

[19]Jiménez-Placer and de Lezo, pp. 467ff.

[20]*Ibid.*, Post, *op. cit.*, 94f; Lafuente, *op. cit.*, 74f.

[21]Mayer, *Historia*, 161f; *Idem.*, *Geschichte*, 136f.

[22]*Ibid.*

[23]Lafuente, p. 74f; Post, p. 93; Jiménez-Placer and de Lezo, pp. 467ff; Sánchez Cantón, "Tablas," 280; de Contreras, p. 278; and Lassaigne, *op. cit.*, 127.

[24]Post, p. 93.

[25]de Contreras, p. 278; Jiménez-Placer and de Lezo, pp. 467ff.

[26]p. 75.

[27]Sérullaz, *op. cit.*, 108f.

[28]Diego Angulo Iñíquez, "Gallego y Schongauer," *Archivo español de arte y arqueología.* 1930 (iv). p. 74.

[29]pp. 267ff.

[30]pp. 88–92.

[31]*Fernando Gallego*, pp. 13f.

[32]*Ibid.*, 9; Post, p. 88f; Harris, *op. cit.*, 25; Mayer, *Historia*, 161. Plasencia is 43 miles NNE of Cáceres in Estremadura. Juan Felipe is unknown other than in this reference.

[33]Of Fray Pedro de Salamanca there is only one notice: On 5 February 1464 he was paid 2,000 maravedis on account toward his fee for painting the *Noli me tangere* in the cloister of the Cathedral of Avila. Later, on October 26, he contracted to do a *Resurrection.* In 1465 he took an apprentice and in the same year, with Sansón, Velasco, Fernando, González de San Martín, and Garcia del Barco, he contracted to paint the serpents' heads in the same cloister. (Gómez-Moreno and Sánchez Cantón, *op. cit.*, p. 351, fn 2). The maravedi was a coin of gold or silver introduced into Spain by the Moors. After 1474, it was made of copper. Its use was discontinued in 1848.

[34]In addition to the document of 1465 (above) and that of 1473 in the text, García del Barco is mentioned on 16 February 1467 when he received 1,000 mrs. on account for the retablo of the Chapel of St. Andrew in the vicinity of Avila; and again in the following year. In 1476 he contracted in Piedrahita, together with another painter, to paint the Moorish woodwork in the corridors of the fortress of the Duke of Alba. (*Ibid.*, fn 3).

[35]*Ibid.*, Shorter accounts are given by Mayer in the *Historia*, 161, and in the *Geschichte*, 135, and in the "Studien," 522 and by Post, p. 92.

[36]Mayer, *Historia*, 164.

[37]Gómez-Moreno and Sánchez Cantón, p. 351.

[38]*Ibid.*, See also de Contreras, *op. cit.*, 278; Mayer, *Geschichte*, 135; *Idem.*, "Studien," 522; Harris, *op. cit.*, 25; Post, p. 92.

[39]*Op. cit.*, 77ff.

[40]Pierre Paris, *La peinture espagnole depuis les origines jusqu'au début du XIXe siècle.* Paris and Brussels, 128. p. 16.

[41]Mayer, *Geschichte*, 136; *Idem., Historia*, 162; Guinard and Baticle, *op. cit.*, 39ff; Gudiol, *op. cit.*, 38; Burlington Monographs II, *Spanish Art*. p. 33.

[42]Post, p. 93; Gudiol. p. 38.

[43]Guinard and Baticle, pp. 39ff; Burlington, p. 33; Jamot, *op. cit.*, 12.

[44]Burlington, p. 33.

[45]A. de Beruete y Moret, "La peinture en Espagne et en Portugal," in *L'Art et les artistes*. Paris, Apr. to Sept. 1912 (XV).

[46]Guinard and Baticle, pp. 39ff; Iñíquez, p. 74f.

[47]Post, p. 98f.

[48]*Op. cit.*, 354.

[49]Quoted by Gómez-Moreno and Sánchez Cantón, p. 354.

[50]de Beruete y Moret, "La peinture," 255.

[51]Gudiol, *op. cit.*, 38.

[52]Post, pp. 95f.

[53]*Fernando Gallego*, 10, 14.

CHAPTER 4

[1]Now in the Diocesan Museum.

[2]Reproduced in Gaya Nuño, *Fernando Gallego*, plates 46f; and in Sánchez Cantón, "Tablas," plates x-xvii following p. 282.

[3]Gómez-Moreno and Sánchez Cantón, *op. cit.*, 351f.

[4]*Ibid.*; also Sánchez Cantón, "Tablas," 282.

[5]Nicolás Florentino or Niccolò Fiorentino is identical with Dello di Niccolò Delli. He was born in Florence c. 1404 and died in Valencia in 1471.

[6]Gaya Nuño, *Fernando Gallego*, p. 40, plate 48.

[7]Post, p. 101; Gómez-Moreno and Sánchez Cantón, p. 351f; Andre Michel, *Histoire de l'Art*. Paris, 1908. Vol. III, part 2: "La Réalisme Les Debuts de la Renaissance." pp. 792f.

[8]p. 101.

[9]Michel, p. 792f.

[10]*Fernando Gallego*, 27ff.

[11]*Vid. infra*, p. 42.

[12]Gómez-Moreno and Sánchez Cantón, p. 351f; Post, p. 92.

[13]Excepting one panel in the Buttery Collection, London.

[14]Sánchez Cantón, "Tablas," 283.

CHAPTER 5

[1]*Op. cit.*, pp. 327–334.

[2]Don Simon Rodriguez Laso, canon of Santa Iglesia in Ciudad Rodrigo and Secretary of the Society of Friends of the Country.

[3]Died 1188.

[4]"The 'Maître de Flémalle' and the Painters of the School of Salamanca," *Burlington Magazine*, (VII), p. 393.

[5]"Notas sobre pinturas españolas en galerias particulares de Inglaterra," in *Boletín de la Sociedad Española de Excursiones*. Madrid, July 1907 (Vol. XV, No. 173), p. 102.

[6]London, pp. 22f.

[7]*Op. cit.*, 794.

[8]"Studien," *op. cit.*, 528.

[9]"La peinture," *op. cit.*, 255; and "Une exposition d'anciens maîtres espagnoles a Londres," in *La Revue de l'Art*, 1914 (XXXV).

[10]"Les primitifs espagnols. Les disciples de Jean van Eyck dans le Royaume d'Aragon. II" in *La Revue de l'Art*, 1907 (XXII), p. 252.

[11]*A Catalogue of the Paintings at Doughty House, Richmond and Elsewhere in the Collection of Sir Frederick Cook*, Bt., Ed. Herbert Cook. London, 1915. Vol. III, p. 122.

[12]"Spanish Paintings at Burlington House," *Burlington Magazine*. Dec. 1920 (Vol. XXXVII, No. 213), pp. 269f.

[13]*Die Malerei in Spanien vom xiv. bis xviii. Jahrhundert*. Berlin, 1923, pp. 66f.

[14]*Op. cit.*, 351ff.

[15]*Op. cit.*, 16f.

[16]*Op. cit.*, Vol. XIII, p. 110.

[17]*Op. cit.*. 110.

[18]*Ibid.*, 140–144.

[19]*Ibid.*, 145.

[20]*Op. cit.*, 38.

[21]*Geschichte, op. cit.*, 140.

[22]*Historia, op. cit.*, 166.

[23]In Vol. IV, part II, pp. 418, 422ff, 426.

[24]*Op. cit.*, 72.

[25]1464–1467; St. Peter's, Louvain.

[26]Died 1524. Known as Peregrinus Viator, he was a canon and a historian, not an artist. His tract contained items unknown even to his contemporaries, Leonardo and Dürer, and nothing as complete was written again until Vignola's work appeared in 1563. Viateur's work antedates any printed work on perspective even in Italy: Piero della Francesca's tract was a manuscript.

[27]Julius Schlosser, *Die Kunstliteratur*. Vienna, 1924, pp. 226–231.

[28]Change of mind.

[29]In Michel, *op. cit.*, 794.

[30]"Sobre el retablo de Ciudad Rodrigo, por Fernando Gallego y sus colaboradores," in *Archivo Español de Arte*. Oct.–Dec., 1958 (Vol. XXXI, No. 124), pp. 308–310.

[31]Cat. No. 1322.

CHAPTER 6

[1]Reproduced in color in Jacques Lassaigne and Giulio Carlo Argan, *The Fifteenth Century from van Eyck to Botticelli*. New York, Skira, 1955, p. 178.

[2]Gaya Nuño, *Fernando Gallego, op. cit.*, 35; Sérullaz. *op. cit.*, 198f.

[3]pp. 11f.

[4]Reproduced in Gaya Nuño, *Fernando Gallego*, plates 11–14; Sánchez Cantón, "Tablas," plates iv–vii following p. 280.

[5]Jiménez-Placer and de Lezo (*op. cit.*, 467ff) call this work monumental, suave, and advanced over the Zamora retablo. Sánchez Cantón ("Tablas," 281) calls it Fernando's most successful work and points out similarities to the Portinari Triptych of Hugo van der Goes (c. 1476–1478, Uffizi, Florence). De Contreras (*op. cit.*, 278) sees the influence of van der Weyden as well as Bouts, but Mayer (*Historia*, 162f and "Studien," 525f) is struck by the Eyckian style, presumably transmitted through Petrus Christus. Jiménez-Placer and de Lezo (467ff) and Mayer (*Historia*, 162f) agree that a Schongauer engraving is the compositional basis for the St. Christopher panel.

[6]Gaya Nuño. *Fernando Gallego*, p. 21. Reproduced in plates 29–32.

[7]Cat. No. 2647.

[8]Reproduced in Gaya Nuño, *Fernando Gallego*, plates 38–41.

[9]Post (p. 109f) calls this his masterpiece, perhaps.

[10]Guinard and Baticle, *op. cit.*, 162.

[11]Gaya Nuño. *Fernando Gallego*, p. 26. Reproduced in plates 42–45.

[12]*Ibid.*, plate 48.

[13]*Idem.*, "Sobre el retablo," p. 311.

[14]Post, p. 128.

[15]Mayer, *Historia*, 164.

[16]Pp. 132ff.

[17]*Fernando Gallego*, p. 13.

[18]*Historia*, 797.

[19]*Fernando Gallego*, 30.

[20]Space back of the choir.

[21]Post, p. 92.

CHAPTER 7

[1]*Op. cit.*, 121.

[2]*Ibid.* Lafuente (*op. cit.*, 55) supports this conclusion.

[3]"Sobre el retablo," *op. cit.*, 302f.

[9]*Ibid.*, 304f.

[5]Gaya Nuño, referring to Ponz and Quadrado, in "Sobre el retablo," p. 200 and in fn 2.

[6]*Ibid.*, 300.

[7]Ponz, *Viage, op. cit.*, Vol. XII, p. 347. The retablo was ultimately replaced by a large silver altar.

[8]1808–1814; Napoleon I vs. England and Spanish and Portuguese volunteers, in Spain. Caused by Napoleon's expansionist ambitions, it ended with his abdication.

[9]Gaya Nuño, "Sobre el retablo," 301.

[10]Brockwell, *op. cit.*, 122.

[11]Gaya Nuño, "Sobre el retablo," 301.

[12]*Ibid.*

[13]Brockwell. p. 122.

[14]"L'Exposition espagnole de Londres," in *Gazette des Beaux-Arts*. August, 1914, p. 252.

[15]*Illustrated Catalogue of the Exhibition of Spanish Old Masters. Oct. 1913 to Jan. 1914. Grafton Galleries, London*, p. 11.

[16]*Ibid.*

CHAPTER 8   [1]Karl Künstle, *Ikonographie der christlichen Kunst.* Freiburg im Breisgau, 1928. Vol. I, pp. 9of.

[2]Using type and antitype for purposes of contrast and elucidation. Derived from the liturgical practice of reading from Old and New Testament texts. *Ibid.*, 113ff.

[3]*Ibid.*, 99ff.

[4]*Ibid.*, 94f.

[5]*Ibid.*

[6]The dove for the Holy Ghost, for example, or simply a hand pointing through a cloud.

[7]Künstle, p. 235.

[8]Post, *op. cit.*, 139f.

[8a] According to E. A. Battison, of the Smithsonian Institution, "This is a clock of early form, perhaps as early as the last of the thirteenth century. Whereas surviving clocks of this type were large enough for use in church towers, smaller versions were probably known earlier. These clocks had no dials but indicated time by an alarm mechanism. The large wheel in the foreground may be the main wheel of the time train. The two wheels at the back would be for the alarm mechanism, probably a striking mechanism. If the artist had painted the mechanism for its own sake rather than for symbolic meaning, he would have included many lesser details not shown. According to Herbert Friedman, of the Smithsonian Institution, the pendulum clock is supposed to have been originated in Spain by Gerbert (c. 940–1003), who became Pope Sylvester II in 999. Since time, and its measurement, began with the creation, the symbolism of the clock becomes obvious. Friedman further suggests that the figure holding the clock may be intended to be Sylvester." (Personal communications.)

[9]Isa. 6: 2 and 6; Ezek. 1: 5 *et seq.* Daniel refers to the archangel Michael in 10: 13 and 12: 11. There are many mentions in the New Testament: Matt. 2: 13; 4: 6; 4: 11; 28: 2; Mark 16: 5ff; Luke 1: 11 *et seq.*; 2: 9 *et seq.*; John 20: 12f; Acts 5: 19f; 12: 7–11. The first classifications were made by Paul: Rom. 8: 38; Eph. 1: 21; Col. 1: 16; I Thess. 4: 16; I Tim. 5: 21.

[10]i.e. the *Apocalypse of Henoch*, 2nd. century A.D.

[11]A fifth or sixth century Palestinian Christian writer.

[12]George Ferguson, *Signs and Symbols in Christian Art.* New York, Oxford University Press, 1954, pp. 165ff. See also José Moreno Villa, *Lo Mexicano en las artes plásticas.* College of Mexico, 1948, pp. 98–101.

[13]*Ibid.*

[14]*Op. cit.*, pp. 167ff.

[15]Gen. 2: 18–25.

[16]Luke 2: 21.

[17]Luke 2: 41–51.

[18]Matt. 4: 1–11; Mark 1: 12f; Luke 4: 1–13.

[19]John 2: 1–12.

[20]John 4: 1–30.

[21]Matt. 16: 13–20; Mark 8: 28ff; Luke 9: 18ff.

[22]Matt. 17: 1–13; Mark 9: 2–13; Luke 9: 28–36.

[23]Matt. 20: 29–34; Mark 10: 46–52; Luke 18: 35–43.

[24]John 11: 1–44.

[25]Matt. 21: 1–11; Mark 11: 1–11; Luke 19: 29–44; John 12: 12–19.

[26]Matt. 26: 6–13; Mark 14: 3–9.

[27]Matt. 26: 26–29; Mark 14: 22–25; Luke 22: 14–23.

[28]Matt. 26: 36–46; Mark 14: 32–42; Luke 22: 40–46; John 18: 1.

[29]According to Luke, Judas did not kiss Him.

[30]Matt. 26: 46–56; Mark 14: 43–52; Luke 22: 47–53; John 18: 2–12.

[31]Matt. 27: 17–23; Mark 15: 6–14; Luke 23: 16–25; John 18: 38–40.

[32]Matt. 27: 24f.

[33]Matt. 27: 32; Mark 15: 21; Luke 23: 26–32; John 19: 17. Only John states that Christ carried His cross.

[34]Matt. 27: 33–50; Mark 15: 22–37; Luke 23: 33–46; John 19: 18–30.

[35]John 19: 33–37.

[36]Matt. 27: 57ff; Mark 15: 43–46; Luke 23: 50–53; John 10: 38ff.

[37]I Cor. 15: 42–50.

[38]Matt. 28: 1–10; Mark 16: 1–18; Luke 24: 1–12; John 20: 1–10.

[39]Matt. 27: 63ff; 28: 11ff.

[40]Henri Focillon, *L'An Mil*, Collection Henri Focillon. Paris, Armand Colin, 1952, pp. 41f.

[41]*Ibid.*, 42–45.

[42]Matt. 24: 29–31; 25: 31–33; Rev. 20: 11–15.

[43]Matt. 24: 31.

[44]Künstle, *op. cit.*, II, 316f.

[45]Matt. 19: 28; Luke 22: 30; I Cor. 6: 2.

[46]Dan. 12: 2; Ezek. 37: 12; John 5: 28f; Rev. 20: 11–15.

[47]Ferguson, *op. cit.*, 180.

[48]Matt. 16: 19.

[49]Ferguson, p. 188.

[50]*Ibid.*, 224f.

[51]*Ibid.*, 260.

BIBLIOGRAPHY

The Holy Bible. The Revised Standard Version.

Abridged Catalogue of the Pictures at Doughty House, Richmond. London, 1907.

Abridged Catalogue of the Pictures at Doughty House. Richmond, Surrey. London, 1932.

Bertaux, E., "Les primitifs espagnols. Les disciples de Jean van Eyck dans le Royaume d'Aragon. II" in *La Revue de l'Art.* 1907 (XXII).

— "L'Exposition espagnole de Londres," in *Gazette des Beaux-Arts.* August, 1914.

de Beruete y Moret, A., "Une exposition d'anciens maîtres espagnols a Londres," in *La Revue de l'Art.* 1914 (XXXV).

— "La peinture en Espagne et en Portugal," in *L'Art et les artistes.* Paris, Apr. to Sept. 1912 (XV).

Brockwell, Maurice W., *A Catalogue of the Paintings at Doughty House, Richmond and Elsewhere in the Collection of Sir Frederick Cook, Bt..* Ed., Herbert Cook. London, 1915, Vol. III.

Burlington Monographs II: *Spanish Art.*

Carderera y Solana, D. Valentin, "Ensayo histórico sobre los retratos de hombres célebres desde el siglo XIII hasta el XVIII . . ." in *Boletín de la Real Academia de la Historia.* Madrid, 1899 (XXXIV).

— *Iconographía Española.* Madrid, 1855–1864. Vol. II.

Ceán Bermudez, D. Juan Agustin, *Diccionario histórico de los mas illustres profesores de las bellas artes en España.* Madrid, 1800. Vol. II.

de Contreras, Juan, *Historia del arte hispánico.* Barcelona and Buenos Aires, 1940, Vol. III.

Cook, Herbert. "Notas sobre pinturas españolas en galerias particulares de Inglaterra," in *Boletín de la Sociedad Española de Excursiones.* Madrid, July 1907 (Vol. XV, No. 173).

Dürer, Albrecht, *Schriftlicher Nachlass*, Ed., Hans Rupprich. Berlin, Deutscher Verein für Kunstwissenschaft, 1956.

Ferguson, George, *Signs and Symbols in Christian Art.* New York. Oxford University Press, 1954.

Focillon, Henri, *L'An Mil*, Collection Henri Focillon. Paris, Armand Colin, 1952.

Gaya Nuño, Juan Antonio, *Fernando Gallego*, series "Artes y artistas." Madrid, Instituto Diego Velázquez, 1958.

— "Sobre el retablo de Ciudad Rodrigo, por Fernando Gallego y sus colaboradores," in *Archivo español de arte.* Oct.–Dec. 1958. (Vol. XXXI, No. 124).

Gómez-Moreno, M., "La capilla de la universidad de Salamanca," in *Boletín de la Sociedad Castellana de Excursiones.* 1914.

— and Sánchez Cantón, F. J., "Sobre Fernando Gallego," in *Archivo español de arte y arqueología.* 1927 (III).

Gudiol, José, "Pintura gótica," in *Ars Hispaniae*. 1955 (IX).

— *Spanish Painting*. Toledo (Ohio) Museum of Art, 1941.

— "Las pinturas de Fernando Gallego en la bóveda de la biblioteca de la universidad de Salamanca," in *Goya*, 1956. p. 8.

— "Las pinturas de la biblioteca de la universidad de Salamanca, obra de Fernando Gallego," in *El Museo. Crónica Salmantina*, I, 1957.

Guinard, Paul and Baticle, Jeannine, *Histoire de la peinture espagnole*. Paris, Pierre Tisné, 1950.

Harris, E., *Spanish Painting*. Paris, 1937.

Hernández Vegas, Mateo, *Ciudad Rodrigo. La catedral y la ciudad*. Salamanca, 1935.

Hobbes, James R., *The Picture Collector's Manual* . . . Being a Dictionary of Painters etc. London, 1849. 2 vols.

Holmes, J. C., "Spanish Painting at Burlington House," in *Burlington Magazine*. Dec. 1920 (Vol. XXXVII, No. 213).

Illustrated Catalogue of the Exhibition of Spanish Old Masters. Oct. 1913 to Jan. 1914. Grafton Galleries, London.

Iñíquez, Diego Angulo, "Gallego y Schongauer," *Archivo español de arte y arqueología*. 1930 (IV).

Jamot, Paul, *La peinture en Espagne*. Paris, Librairie Plon, 1938.

Jiménez-Placer, Fernando and de Lezo, Suárez. *Historia del arte español*. Barcelona, Madrid, Buenos Aires, Rio de Janeiro, México, Montevideo, Editorial Labor, 1955. Vol. I.

Justi, Carl, "Altflandrische Bilder in Spanien und Portugal," in *Zeitschrift für bildende Kunst*. Leipzig, 1886 (XXI).

Kehrer, Hugo, "Martin Schongauer in Spanien," in *Monatshefte für Kunstwissenschaft*. 1910 (III).

Künstle, Karl, *Ikonographie der christlichen Kunst*. Freiburg im Breisgau, 1928.

Lafuente Ferrari, Enrique, *Breve historia de la pintura española*, ed. 3. Madrid, Editorial Dossat, 1946.

— "Miscelánea de primitivos castellanos," in *Archivo español de arte y arqueología*. 1935.

Lassaigne, Jacques, *Spanish Painting from Catalan Frescoes to El Greco*. Geneva, Skira, 1952.

— and Argan. Giulio Carlo, *The Fifteenth Century from van Eyck to Botticelli*. New York, Skira, 1955.

von Loga, Balerian, *Die Malerei in Spanien vom xiv. bis xviii. Jahrhundert*. Berlin, 1923.

Mayer, August L., "Studien zur Quatrocentomalerei in Nordwestkastilien," in *Reportorium für Kunstwissenschaft*. 1909 (XXXII).

— *Geschichte der spanischen Malerei*. Leipzig, 1913, Bol. I.

— *Historia de la pintura española*, 2nd. ed., Madrid, Espasa-Calpe, 1942.

Michel, André, *Histoire de l'Art*. Paris, 1908. Vol. III, part 2: "La réalisme les debuts de la Renaissance."

Moreno Villa, José, *Lo Mexicano en las artes plásticas*. College of Mexico, 1948.

Orlandi, M. R. P. Pellegrino Antonio, *Abecedario Pittorico*, enlarged by Pietro Guarienti. Venice, 1753.

Palomino Velasco. A. *El museo pitórico*. Madrid, 1715–1724.

Paris, Pierre, *La peinture espagnole depuis les origines jusqu'au début du XIXe siècle*. Paris and Brussels, 1928.

Passavant, J. D.. *Die christliche Kunst in Spanien*. Leipzig, 1853.

Ponz, D. Antonio, *Viage de España*. Madrid, 1783.

Post, Chandler Rathfon, *A History of Spanish Painting*. Cambridge, Harvard University Press, 1933–1950. Vols. IV–X. Especially Vol. IV–part I, "The Hispano-Flemish Style in North-Western Spain," 1933.

Previté-Orton, C. W., *The Shorter Cambridge Medieval History*. Cambridge University Press, 1952. Vol. II.

Robinson, J. C., "The 'Maître de Flémalle' and the Painters of the School of Salamanca," in the *Burlington Magazine*, 1905 (VII).

Sánchez Cantón, F. J., "Tablas de Fernando Gallego en Zamora y Salamanca," in *Archivo español de arte y arqueologío*. 1929 (V).

— *Fuentes literarias para la historia del arte español*. Madrid, 1936. Vol. IV contains *Las vidas de los pintores eminentes españoles* by A. Palomino Velasco.

Sérullaz, Maurice, *Evolution de la peinture espagnole*. Paris, Horizons de France, 1947.

Schlosser, Julius, *Die Kunstliteratur*. Vienna, 1924.

Thieme, Ulrich and Becker, Felix, *Allgemeine Lexikon der bildenden Künstler*. Leipzig, 1920. Vol. XIII.

Vinaza, *Adiciones al diccionario histórico de Ceán Bermudez*. Madrid, 1889.

The text of this volume was set by Morneau Typographers in Janson, one of the fine old types revived and remodeled in the twentieth century by the Linotype Corporation. Walker Lithocraft printed the book on Garamond paper, made by Champion of Hamilton, Ohio. Erni Cabat designed the volume, and woodblocks for ornamentation of the pages were cut by the author, R. M. Quinn, associate professor of art at the University of Arizona. The book was bound by the Arizona Trade Bindery in buckram, reverse side out.